KB075707

결국은
멋지고
달콤하게
빛날 거야

레 코 드 나 우

결국은
멋지고
달콤하게
빛날 거야

일과 여행의 길에서
나로 빛나기를 바라며,
케이크 디자이너의
해외 출강 에피소드

루시아(임지희) 지음

현재는 결핍이 나의 전부라고 할지라도
누구보다 나로 빛나게 하기 위한 나의 이 길에서 주문을 걸어보자.
결국 나는 멋지고 달콤하게 빛날 거라고.

마음속 한구석 작은 희망의 기억이 있다. 어릴 적 친구가 내게 물었다.

"우리는 30대가 되면 어떨까? 지금과 다를까?"

아무것도 가진 것이 없었던 20대 초반, 이 세상에서 나의 존재는 모든 것이 결핍으로 가득 차 있었지만, 그 현실을 외면하려고 애썼다.

나는 대답했다.

"걱정하지 마. 우린 멋지게 클 거야."

그 친구에게 위로가 필요한 듯 해서 나는 그렇게 대답했다. 하지만 그 대답은 친구를 위한 대답이기도 또 나를 위한 위로이기도 했던 것 같다.

그때부터 나의 마음속 한구석의 언제나 작은 희망이 있었다. 우리는 그리고 나는 멋지게 클 거라고. 언제일지 몰라도 꼭 그렇게 될 거라고 그렇게 난 믿고 싶었다. 나의 미래가 환하게 빛나기를 바라고 또 바라는 마음에.

어느 순간 그 문구는 내게 끊임없이 되새겨지는 마법의 주문과도 같았고 나는 그 나만의 마법의 주문을 꼭 간직한 채로 어느덧 서른 중반이 되었다.

내가 만든 어릴 적 나의 마법의 주문은 많은 것을 이루어 낼 수 있게 해주었다. 이제 그 주문을 우리의 길에서 더 달콤하게 빛나기 위한 주문으로 바꿔보려고 한다.

현재는 결핍이 나의 전부라고 할지라도

누구보다 나로 빛나게 하기 위한 나의 이 길에서.

주문을 걸어보자.

결국 나는 더 멋지고 달콤하게 빛날 거라고.

차례

1부

결핍으로 가득 찬 나의 20대

2부

저는 K- 케이크 디자이너입니다

3부

해외 출강으로 새로운 길을 개척하다

4부

일 그리고 여행, 해외 출강의 길을 향해

1부

결핍으로
가득 찬
나의 20대

자존감 바닥,
20대 미국에서의 삶

 20대 미국에서 지냈던 나의 처량한 과거가 없었다면 지금 나는 없었을 것이다. 20살 무렵 친구와 함께 호주에 가려고 1년 동안 각자의 직장생활을 해서 1,000만 원을 모아 해외연수를 가기로 결심했다. 1년 동안 직장의 막내로 갖은 심부름을 하는 사무직원을 하며 1,000만 원을 모았고 친구 역시 제과업계에서 일을 하며 돈을 모았다. 그리고 우리가 약속했던 날짜가 다가왔다.

 1년이 지나 약속대로 우리는 첫 직장을 그만두고 호주 워킹 연수를 가려고 찾아보는 찰나, 친구 언니의 합류로 언니의 지인이 있는 미국으로 연수를 가게 되었다. 다행히도 우리는 그 지인의 도움으로 빨리 미국 생활에 적응할 수 있었고, 한국에서 갓 온 미국 유학생으로 겉보기에는 내가 꽤 괜찮고, 멋있어 보였다.

주중에는 어학원에 가는 유학생, 주말에는 바닷가에서 바비큐 파티를 하며 평화로운 주말을 즐기면서 처음으로 아메리칸드림을 꿈꿨다. 미국의 여유로운 사람들 사이에 섞여 마치 나도 여유로운 사람인 듯 그렇게 지냈다. 그렇게 3개월은 미국의 유학생으로 소소한 사치를 즐겼다. 앞으로 일어날 일을 예상하지 못한 채….

3개월이 지나 미국의 삶과 현실에 부딪혔고 모은 천만 원이라는 돈은 반토막이 난 상태로 나는 그렇게 통장에서 돈이 줄줄이 빠져가는 것만 지켜보고 있었다. 그러던 중 알게 된 한인 친구들에 의해 파트타임을 할 수 있다는 정보를 들었고, 어학원을 다니며 파트타임을 구하려고 이리저리 알아보았지만, 기본적으로 영어가 안 되는 나에게는 파트타임 역시 하늘의 별 따기였다.

사실 유학생 신분으로 파트타임을 할 수는 없지만 많은 유학생은 경제적으로 여유롭지 못하기 때문에 일을 함께하며 미국 생활을 해야 하는 경우가 많고, 나 역시 예외는 아니었다. 그렇게 6개월이 되었지만 나는 여전히 영어도 못 하고, 일을 구할 수도 없는 처지였다. 한인 식당 일을 열심히 찾아보는 중 나와 함께 온 친구는 나와 같은 처지여도 제과 기술이 있었기에 나보다 훨씬 빠르게 파트타임을 구할 수 있었다.

그녀는 LA에도 있는 한국의 유명한 프랜차이즈 제과점에서 일을 할 수 있었고, 또한 함께 온 친구 언니는 어디를 가나 인기 많은 예쁜 외형에 성격도 좋고, 알바의 경험이 많기에 그 노련함으로 파트타임 구하기가 그렇게 어렵지는 않아 보였다.

언어, 기술, 외모, 성격, 경력, 아무것도 없던 나에게는 모든 게 너무 어렵게 다가왔고, 나의 모든 것들이 결핍투성이었다. 타지에서 나는 나에게 이렇게 많은 결핍이 있었는지 처음으로 몸소 느끼게 되었다.

같은 환경 속 나는 아무것도 할 수 없다고 생각해 하루에도 몇 번씩 무너졌고, 외로움도 점점 커졌다. 통장에 잔액도, 일도 없는 상황이지만 부모님의 반대에도 큰소리치고 왔기에 6개월 만에 돌아갈 순 없었다. 매달 월세와 생활비는 내야 했고, 나는 하루하루 처량하기 그지없었다.

함께 있는 지인들은 언어가 안되더라도 그들만의 강점이 하나씩 있었고, 나에게는 약점만 가득한 상황 속에서 나의 자존감은 바닥을 치고 있었다. 나 자신에게 여러 번 묻고 또 되묻기 시작했다.

"나는 왜 아무것도 가진 것이 없을까?"

"나는 왜 모든 것이 어려울까?"

"나는 무엇이 문제일까?"

이 문장들은 항상 나를 괴롭혔고 차가운 현실에
부딪혀 보기 전에 나는 단 한 번도 이런 생각을 깊
이 해본 적이 없었다.

내 미래의 모습을
보다

 6개월이 지나갈 무렵 어렵게 일을 구했지만, 식당에서의 경력이 전혀 없었기에 몇 번이고 사장님들께 구박만 받고 잘리기를 반복했다. 자존감과 자존심은 찾아볼 수 없을 정도로 나의 삶은 바닥을 치고 있었다.

 그러던 중 겨우 한 한인 식당에서 일을 할 수 있게 되었고 영어가 필요 없는 한인타운 안에서 나는 어학원은 등록만 해놓고 일을 하며 매달 생활비와 렌트비를 내야 하는 그런 생활을 버텨내고 있었다. 풀타임으로 일을 하게 되니 어학원은 학생 신분을 유지하기 위한 수단이 되었고 그렇게 미국에 살지만, 점점 더 영어에서 멀어졌다.

1년쯤 지났을까? 어느 날 문득 나와 13살 차이 나는 식당의 웨이트리스 언니들이 10년이 넘도록 사는 미국 땅의 한인타운 내에서 한국어만 하며 지내고 있다는 이야기를 들었고, 나 역시 1년이 다 되도록 그렇게 지내고 있다는 것을 망각하고 있었다. 또한 영어가 두려워 외국인을 피해 다닌다는 얘기를 듣고는 그것이 공감으로 다가왔다. 문득 이런 생각이 스쳐 지나갔다. 그 모습이 마치 미래 나의 모습 같았다. 내가 10년 동안 이곳에 있다면 지금 언니들이 내 모습이겠구나.

그 삶이 나쁘지는 않았다. 한국에서 사무직으로 일할 때보다 더 많은 급여를 받았고 또 미국의 팁 문화로 매달 팁으로 들어오는 돈만 1,500불 이상이 되니 한국에서 벌던 수입보다 1.5배의 수입으로 일을 계속한다면 그곳에서 사는 것은 더 이상 문제가 되지는 않았다.

하지만 그곳의 사장님은 다른 웨이트리스 언니들과 다르게 어리고 싹싹하지 못한 나를 싫어했고, 그곳에서 나는 언제든 잘릴 수 있는 일에 언니들의 도움으로 간신히 버티고 있었기에 항상 눈치를 보고 또 욕을 먹으며 그 자리를 꾸역꾸역 버티고 있었다. 아무런 선택권이 없던 그곳에서 웨이트리스는 나에게 한 줄기의 희망이었지만, 결코 미래가 있는 직업은 아니었고, 내가 생각해 왔던 미래의 내 모습은 그 모습이 아니었기에 점점 더 두려워졌다.

어렸을 적부터 자기 계발서를 좋아해서 꾸준히 읽어왔기에 나는 그 책 속의 주인공들처럼 언젠가 나 역시 그들처럼 멋진 사람이 되어 화려한 인생을 살고 싶다고 생각했는데 현실은 너무나도 달랐다. 나는 그곳에서 아무것도 가진 것이 없는 결핍 가득한 20대였고 할 수 있는 것조차 없었다.

미국에서 유학생 신분으로 살아간다면 결국은 나는 내가 원하지 않는 모습으로 살아가겠구나. 지극히 자본주의의 미국에서 신분과 돈이 없이 유학 생활을 한다는 것은 그 삶에 끌려 하루하루 나를 수동적인 삶에 맡기는 것이기에….

그날 이후 마음을 굳게 먹었다. 그리고 마음속으로 몇 번을 외쳤다. 나는 이렇게, 또 그렇게 살기를 원하지 않는다고….

그렇게 나는 원치 않았지만 결국은 당장의 미국의 삶을 포기하고 한국으로 돌아오는 비행기를 올라탔다. 미국에서의 삶은 나의 모든 결핍을 뼈저리게 느끼게 해주었다. 삶이 안전하고 편안한 곳에서는 나의 결핍을 제대로 바라보지 못한다. 우리는 컨트롤할 수 없는 차가운 현실에서 결핍이 무엇인지 비로소 느끼게 된다.

저 영어 못해요.
나의 마지막 자존심

그렇게 몇 년이 지나 한국에서 사회생활을 하며 미국 생활은 조금씩 잊어가고 있었다. 다시 사회생활을 하며 한국에서 지내고 있었지만, 누구에게도 미국에 다녀왔다고 말하지는 않았다. 미국에 잠시나마 살다 왔는데 영어를 못한다고 하면 내 자신이 너무 창피하니까. 나 자신이 형편없는 사람이 되는 것을 숨기고 싶었다. 나의 마지막 자존심처럼 지키고 싶었다랄까.

하지만 내가 몸소 느꼈던 나의 결핍은 숨기려고 해도 채워지지 않았고, 그렇게 몇 년이 지나 아무런 이유 없이 나는 조용히 영어 학원에 다니기 시작했다. 당장 필요한 영어 공부도 아니었고 영어를 쓸 수 있는 환경도 아니었다. 늦바람이 들었는지 나도 모르게 무엇에 홀리듯 영어학원을 다니고 있었고 영어만 써야 하는 그런 환경에 나 자신을 노출하기 시작했다. 그것도 외국이 아닌 한국에서 말이다.

누군가 "영어를 왜 배워요?"라고 물으면 나 자신도 영어를 해야 하는 이유를 설명할 수 없었다. 여행을 가거나 다른 목적이 없었기에 나조차 이해할 수 없었지만, 미국에 다녀왔음에도 불구하고 영어를 자유롭게 할 수 없었고, 그것을 숨기려고 했기에 그런 나 자신을 스스로 인정할 수 없었던 것 같다. 내 삶에 부끄러워지기 싫었고, 또한 미국에서는 실패했지만, 한국에서 두 번 실패하고 싶지는 않았다.

미국에서는 나의 삶이 수동적이었다면 내 본국에서는 능동적으로 무언가를 해야 할 것 같다는 생각이 들어서인지도 모르겠다. 내성적인 성격인지라 처음엔 영어로 말하기 너무 두려웠지만, 두려움을 이겨내며 영어학원을 다니며 공부했고 시간이 되는 날이면 밤늦게까지 말하는 연습을 했다. 완벽하지 않았지만, 확실한 건 영어가 나의 낮아진 자존감을 되찾게 도와줬고 영어를 들으면 내 마음속의 저 깊은 어딘가 미국에서 어릴 적의 처량했던 나의 20대를 위로해 주는 느낌이었다.

새벽에 영어 라디오를 틀어놓고 잠이 들었던 20대 미국에서 나는 언제나 이어폰으로 들려오는 그 시끄러운 소리 속에서 잠이 들었고 언제인가 그렇게라도 나의 귀가 뚫리기를 간절히 바랐다. 무슨 말 인지 전혀 알아듣지도 못한 채 매일 밤 팝송을 듣고 또 라디오를 들으며 잠이 들었다.

20대에 타지에서 이루어 내지 못했던 그 어렵던 언어의 벽. 그 벽을 그제야 인정하고 직면해 버리니 나 스스로 더 이상 숨지는 않아도 되었다. 완벽하지 않지만 부끄럽지 않을 만큼 노력했고, 후회하지 않을 만큼 공을 들이고 나니 하나의 결핍이라는 벽이 서서히 무너지기 시작했다.

이전엔 그 벽이 견뎌낼 수 없을 만큼 크고, 두껍더니 한번 허물어 보니 결핍에 대한 두려움이 사라졌다. 또한 그 하나의 결핍을 이겨냄으로써 자신감이 생겼다. 내가 또 다른 무언가 할 수 있지 않을까? 라는 생각이 언어의 벽을 허물고 마음속에서 조금씩 피어나기 시작했다.

무엇이든 첫 시작이 어렵지만 그다음에는 쉬워진다고 하듯이, 한번 이겨낸 나의 결핍은 더 이상 두려운 존재가 아니었고, 다음 도전해야 하는 미션으로 다가왔다. "결핍은 지금보다 더 나은 당신을 만날 기회"라는 말도 있듯이 결핍이 있다면 그것은 나에게 주어진 미션이라고 생각하기로 했다. 결핍이 있는 것이 없는 사람보다는 더 희망이 있는 사람이며, 그 미션을 해내고 나면 더 나은 당신을 만날 수 있으리라 생각한다.

기술이라도
배울걸

 미국에서 일을 구하기 힘들었던 때 또 하나 나의 결핍은 기술이었다. 나와 함께 갔던 친구는 기술직이었기에 일자리 얻는 것에 큰 어려움은 없었고, 그걸 지켜보던 나는 부럽기도 했고, 시간이 지나면서 아무것도 할 수 없음에 두려움도 커져만 갔다. 세무회계 공부를 했던 나에겐 외국에서 모든 것이 무용지물이었다.

 아무것도 할 수 없었던 그때 자꾸 머릿속을 맴돌던 생각. 진작 기술이라도 배워둘걸….

 어디서든 기술이 있으면 유리하겠다는 생각을 갖게 된 건 그때부터였던 것 같다. 그 생각은 굉장히 깊게 나의 몸과 머리에 박혀 있었나 보다.

미국에서 돌아오니 예전의 결핍은 더 이상 현재의 결핍은 아니었다. 모든 걸 잊고 일도 다시 시작하였고 한국의 일상에 난 완벽히 돌아와 있었다.

항상 똑같은 회사 생활에 지겨워지던 찰나 취미로 이것저것 배우기로 결심했다. 당장 필요한 기술이 아니더라도 그냥 배우고 싶었고, 그렇게 뭔가 하나씩 배우고 손으로 만들고 나면 기분이 좋아졌다. 커피 바리스타, 클레이아트, 페인팅, 캔들, 석고방향제, 캘리그라피, 사진, 볼링, 꽃, 베이킹, 케이크 데코레이션 등 많은 기술을 배웠고, 손으로 하는 것에 점점 매료되기 시작했다.

뭔가 만드는 것, 새로운 것을 창조해 내는 것은 나에게 또 다른 가능성을 보여주었다. 또한 다시 한번 나의 자존감을 높여준다는 것을 직접 경험해보고 알게 되었다.

되돌아 생각해 보니 미국에서 나의 20대 어릴 적

숨기고 싶었고 창피했던 큰 결핍들을 나도 모르게 조금씩 채우려고 노력했던 것 같다. 나는 아무런 이유 없이, 당장 나에게 필요하지 않은 영어를 배우고 손기술을 배우려고 했다.

누군가가 나에게 그것을 왜 배우니? 라고 말하면 그 이유를 나는 명확히 대답할 수 없었지만, 결핍의 경험을 나의 머릿속 작은 공간 어딘가에 숨겨둔 것 같다. 그 결핍으로 인해 내가 느꼈던 감정과 생각과 고통을 무의식적으로 기억하고 있었다. 그렇게 혹시라도 미래에 다시 일어날 수 있는 반복되는 상황에 나 자신을 보호라도 하고 싶었던 것일까?

비로소 나는 지난날 힘들었던 결핍들을 밟고 조금씩 일어나기 시작했다.

이제 안녕~
계약직 은행원에서
케이크 디자이너로 새로운 시작

20대의 중반 은행에서 계약직으로 일을 하며 퇴근 시간만 기다리는 생활을 2년쯤 지속하던 중 은행에서 잘만 버티면 무기계약직으로 전환이 된다는 동료와 선배들의 말을 듣고 나도 그렇게 되리라 생각하고 있었다.

무기계약직은 정규직이랑은 다른 개념이지만 1년, 2년의 재계약이 아닌 무기한으로 일을 할 수 있다는 이유와 여성으로 정규직과 비슷한 대우를 받는다는 조건으로 그 당시 은행에서는 계약직 사원들에게는 무기 계약직이 한 줄기의 빛과 희망 같은 느낌이었다. 정규직과 연봉은 다르지만, 결혼과

출산 시 무기계약직 사원들에게는 똑같이 출산휴
가가 주어졌기 때문에 큰 메리트였던 것 같다.

어느 날 나보다 한참 경력이 있는 선배가 몇 년을
기다려서 무기계약직 전환을 손꼽아 기다리고 있
었는데 당연히 될 줄 알았던 무기계약직이 또 다음
해를 기다려야 한다는 통보를 받았을 때 어찌나 옆
에서 서럽게 울던지 잊을 수가 없다.

그렇게 나의 계약이 언제 종료될지도 모르는 직
장생활에 매달려 항상 불안에 떨어야 했고, 일을
잘해도 욕먹고 못해도 욕먹는 위선에 둘러싸인 그
런 환경 속에 같이 일해도 혹은 더 많이 일해도 월
급은 제일 적은 행원으로 그냥 하루하루를 받아들
이는 것이 습관과 일상이 되어갔다. 철저히 계급화
된 사회 속에서 나는 또 자존감이 바닥을 쳤고 내
게는 더 이상의 미래가 없는 듯 보였다.

전환에 실패한 선배들이 서럽게 울 때마다 그 또
한 미래의 내 모습 같다는 생각이 들었다. 내가 원

하는 것이 무기 계약직일까? 전환된다면 난 정말 행복할까? 시간이 지나면서 더 많이 고민했고 결국 계약이 종료되는 날 나는 퇴사를 결심했다. 계약이 연장될지 안 될지 조마조마한 마음 졸임을 더 이상 하지 않아도 되니 홀가분했다. 퇴사의 결심이 쉽지 않았고 부모님 얼굴 보기 너무 창피했지만, 나의 선택이기에 누구도 말릴 순 없었다.

다행히도 단 한 사람, 남자친구가 나를 응원해 줬다. 남자친구라도 있어서 얼마나 다행이었던지….

부모님은 크게 실망한 듯하셨지만, 나로서는 그게 나를 위한 최선의 선택이었다.

배움으로
길 찾기

　회사 생활은 그렇게 포기했다. 어쩌면 너무나도 잘했던 걸지도 모르겠다. 그 이후 몇 개월은 고용센터를 다니며 내일배움제 교육지원으로 여러 가지를 배우러 다녔고 카페 아르바이트를 하며 영어 공부와 베이킹에 조금 더 집중해서 시간을 보냈다. 그 시간이 나에게는 다시 없을지도 모르는 시간이라는 생각에 일 년 동안 많은 것을 배웠다.

　틈틈이 배웠던 클레이 꽃 아트 공방을 오픈하고 싶어서 준비했던 적이 있었다. 잘되면 갈아타야 한다는 생각에 준비했지만, 반응은 전혀 없었다. 개인 블로그에 클레이 꽃 작품을 올리고 또 올려도 아무런 반응이 오지 않았고 누구도 나의 실력을 인정해 주지 않았다. 그럴만한 게 쟁쟁한 실력을 갖춘 클레이 아티스트분들이 이미 계셨고 나는 그곳에 낄 수 있는 위치가 아닌 이제 막 시작한 신생 공방이었기에 아무도 나를 찾아주지 않았다.

그렇게 실패를 한번 경험하고 백수 생활을 이어가던 중 우연히 친구를 통해 플라워케이크를 경험하고 케이크 데코레이션을 접하게 되었고, 케이크가 너무 예쁘다는 것에 매력을 느껴 한동안 케이크 꽃 데코레이션에 빠져 열심히 배우고 연습했다. 맛있는 케이크와 꽃 크림 그리고 다 먹을 수 있다는 것이 큰 장점이었다. 꽃을 안 좋아하는 사람이 있을까? 먹을 수 있는 꽃이라면 예쁘고, 맛있고 둘 다 잡을 수 있다고 생각했다.

처음에는 지인들에게 선물해 주고 싶어서 열심히 만들었고 모두 먹을 수 있는 디저트이기에 더 매력을 느끼기 시작했다. 받는 사람을 기분 좋게 하는 선물 그리고 함께 나누어 먹을 수 있는 선물. 물론 실용적인 선물은 아니지만 먹는 것이라는 것의 메리트는 아주 훌륭했다.

누군가에게 선물하고 싶고 기념일을 더 화려하게 만들 수 있는 그런 아이템. 다행히도 선물을 받은 지인들은 하나같이 모두 기뻐하고 좋아해 주셨고, 예뻐서 못 먹겠다는 칭찬도 함께 해주셨다. 그렇게 좋아해 주시고 행복해하시는 모습을 보니 나 또한 너무 행복했다. 케이크로 함께 행복을 나눌 수 있다는 생각에 너무나도 설레기 시작했다.

꽃 케이크로
행복을 드려요

예쁜 케이크로 사람들을 기쁘게 또 행복하게 만들 수 있구나. 사람들이 행복해하는 모습을 보니 나 또한 행복해졌고 이 일에 빠져들 수밖에 없었다. 사람들을 위해 예쁘고 맛있는 케이크를 만들어야지. 나는 결심했고, 그때부터 케이크를 맛있게 그리고 예쁘게 만들기 위해 노력했다

하루에 두세 개의 케이크를 매일 늦은 저녁까지 연습에 또 연습했다. 지인들에게 선물하다가 본격적으로 케이크 판매를 해보고 싶었지만, 집에서는 정식으로 케이크 판매가 허가가 안 되기에 방향을 돌려서 케이크 클래스를 시작하기로 결심했다. 더이상 시간을 끌기에는 경제적으로 여유롭지는 않았고 더는 쉴 수 없었기에 방법을 찾아야 했다. 케이크 판매는 케이크 스튜디오가 생기면 그때 정식으로 허가를 받고 하기로 하고 당장은 클래스를 오픈해서 재료비를 충당해야 했기에 원데이 클래스를 시작했다.

클래스를 하기 전에도 지인들을 초청해서 여러 번 무료로 수업하면서 어떤 부분이 미숙한지 체크했고, 케이크 클래스를 정식으로 오픈하기 위해 몇 개월간 더 준비했다. 그렇게 오픈 날짜가 다가왔다.

그 당시 인스타그램을 시작한 지 얼마 안 되었지만, 하루하루 열심히 한 케이크씩 올려서 클래스 홍보를 시작했고 네이버 블로그도 올리면서 함께 홍보했다. 인스타를 통해서 클래스 문의를 받았지만 정작 클래스로 이루어지는 건 없었다. 무엇이 문제였을까? 몇 개월을 기다리고 기다렸지만 아무도 수업을 들으려 하지 않았다. 그 당시에는 플라워 케이크가 트렌드임에도 불구하고 나의 첫 수업 수강생은 들어오지 않았고 몇 개월을 그렇게 막막하게 시간을 보내고 있었다.

또 다른 경계와
경쟁의 시작

 클래스를 준비하던 중 하루는 함께 클래스를 준비하던 같은 지역의 언니와 만났는데 그동안 자주 만나고 친하게 지내며 친분이 있던 분이었다. 그분은 이미 다른 분야의 선생님으로 몇 년 동안 활동 중이었기에 나보다는 어렵지 않게 수강생을 받을 수 있는 듯하였다. 이미 예전의 수강생분들이 인스타와 블로그를 보고 다시 배우러 와줬기에 처음 시작이 나보다 훨씬 빨랐던 것 같다. 부러웠지만 나는 처음이기에 그분을 응원하며 나 또한 곧 그렇게 되기를 바라며 나의 고민을 털어놓기 시작했다.

 "저는 처음 시작하는 수업이라 그런지 수강생을

받기가 너무 어려워요. 어떻게 하죠?"

"처음 시작이 어떠셨어요? 전 어떻게 해야 할지 모르겠어요. 가격도 어떻게 맞추어야 할지도 모르겠고요."

나는 경력이 있는 그분께 조언을 구했고 그분은 대답했다.

"원래 처음은 어려워. 난 지금도 어려운데? 나는 3개월 정도는 수강생은 벌써 다 차 있는데 그다음이 문제라니까?"

"벌써 3개월 뒤가 걱정이야. 사실 있어도, 없어도 걱정이야. 아직 잘 몰라서 그래."

"클래스 가격은 우리가 지역이 비슷하니까 우리 똑같이 하는 게 맞지. 내가 이 가격이니까 동일하게 그렇게 해."

"네?"

잠시 당황스러웠다. 그분의 그런 강압적인 모습은 처음이었다.

수업 하나 없는 나에게 본인은 3개월이 이미 찼는데 그다음이 걱정이라고? 그 말이 나에겐 조금 잔인하게 들렸다.

나는 처음 시작하는 수업이기에 가격을 똑같이 해야 한다는 것도 이해는 할 수 없었다. 지역이 비슷하니 그렇게 해야한다니… 나는 그냥 애써 웃으며 넘겼다.

"아… 네…."

나와 얼마 전까지 같이 연습하고 같이 시간을 보내던 분이었고 고맙고 의지하는 언니였는데 한순간에 다른 사람이 된 듯한 느낌이었다. 본격적으로 수업을 준비하다 보니 조금씩 멀어지는 느낌이 들긴 했다. 같은 동종업계로 수업한다고 하니 그것 때문이었을까? 나는 한동안 아무 말도 할 수 없었고 얼마 전 만남과는 사뭇 다른 공기가 둘 사이를 채우는 듯했다.

말을 돌려 나는 그분께 말했다.

"언니, 저 외국인 클래스 한번 해 볼까 봐요. 한국에서는 유명한 선생님들도 많으시고 제가 경쟁이 안되는 것 같아서요. 외국분들이 인스타로 문의하시는데 그분들이라도 잡아 볼까 봐요."

내가 말이 끝나기도 전에 그분은 "지희 씨! 그 정도 영어는 다들 할 줄 알아. 나도 외국 잠깐 갔다 와서 그 정도는 다 하지"라고 말했다.

"수업하려면 그 정도로는 안 되지."

사실 나에겐 그 말이 가장 충격적이었다. 지난 1년 동안 내가 아침부터 저녁까지 영어학원을 다녔던 것을 제일 잘 알고 옆에서 봐왔던 분이였기에….

나의 간절함을 안다고 생각했던 그 친했던 지인이 나의 1년의 노력을 모두 내 눈앞에서 짓밟아 버리는 순간이었기에 너무 상처였고 또 큰 충격이었다. 그 당시에는 성격상 앞에서 싫은 티를 내는 성격이 아니었기에 그냥 말없이 조용히 있다가 자리를 나왔다.

  그날 나는 가장 믿었던 지인에게 눈앞에서 나의 노력을 모두 짓밟혔고 나를 통제하려는 그분에게 서 점점 멀어지기로 결심했다. 그것이 가스라이팅 이 아니었을까?

  가스라이팅은 거부나 반박으로 타인의 심리나 상 황을 교묘하게 조작해 그 사람이 현실감과 판단력 을 잃게 만들고, 이로써 타인에 대한 통제 능력을 행사하는 것을 말한다고 명시되어 있다. 자기 자신 을 믿지 못하면 한순간에 가스라이팅을 당하기 너 무 쉬울 것이다. 그것이 내가 믿고 신뢰해 오던 사 람이라면 더더욱 말이다.

  그분과는 서로 연락이 뜸해지며 자연스럽게 인연 이 끝났다. 나는 나의 결심대로 다시 케이크를 만 드는 것에 집중하여 인스타를 올리고 홍보를 한지 몇 개월, 외국인 수강생을 겨우 받게 되었다.

난 너를
인정할 수 없어

  학창 시절 가장 친하던 친구 중 한 친구는 일찍이 제과에 소질이 있어서 파티시에가 되었고 나는 그 친구에 비하면 아주 늦게나마 이쪽 길을 접해서 케이크 디자이너가 되었다. 같이 케이크를 만드는 사람이지만 분명한 건 같은 직업은 아니다.

  커서 다시 만난 우리는 한번은 이런 얘기를 나눈 적이 있다.

  "우리가 어떻게 지금 같은 분야에 있을 수 있을까? 아직도 믿기지 않아."

  친구는 말했고 나는 그냥 웃으며 대답했다.

  "그러게, 나도 이렇게 될 줄은 몰랐어. 이럴 줄 알

앗으면 너처럼 나도 일찍 시작할걸."

그때 친구는 맥주를 한잔 마시면서 다시 이렇게 얘기했다.

"그런데 미안하지만 친구야. 난 아직도 너를 인정할 수가 없어. 너도 알다시피 나는 이쪽 업계에서 너보다 오래 있었잖아? 그래서 그런가 봐. 네가 이해 좀 해."

술김에 한 말이라고 생각하기에는 아직 멀쩡한 친구 입에서 이런 말이 나오다니 정말 이해할 수 없었다. 친구가 케이크 샵을 오픈했을 때 가서 도와준 적도 있고 나와 늘 함께하던 친구였다. 그런 친구의 입에서 이런 말이 나오다니. 놀라지 않을 수 없었지만, 사실 그것을 섭섭하다고 말하고 또 싸우기에는 나는 이미 몇 번의 경험으로 단단해졌고, 친구의 인정이 필요하지는 않았다.

나 자신이 불안하고 나 자신을 인정할 수 없었다면 그 말에 큰 충격을 받았을 테지만, 시간이 지나 나는 어떠한 상황에도 단련이 되고 있었다. 지금의 일을 너무나도 열심히 그리고 즐기며 행복하게 잘하고 있었고, 이 비슷한 분야의 일을 나보다 훨씬 더 일찍 한 친구로서는 그렇게 생각할 수 있겠구나 싶기도 했다. 하지만 나도 사람인지라 친한 친구에게 응원이 아닌 이런 말을 들으니, 헛웃음이 나올 수밖에 없었다.

처음 사업을 시작할 때 주위의 사람들이 모두가 응원해 준 것은 아니었다. 한순간에 라이벌이 되었고 또 한순간에 20년의 우정을 등 돌려야 했다. 하지만 그 충격이 나를 더 움직이게 해주었다. 그들보다 더 잘 되고 싶었고 또 잘 살고 싶었다. 그렇게 난 열심히 달려왔고 지금은 한편으로는 고맙기도 하다. 그들이 달리는 나에게 모터를 달아줬으니 말이다.

나는 그들 덕분에 더 빨리 성장할 수 있었다. 경쟁은 나에게 노력할 힘을 제공하고 그로 인해 더 빨리 성장할 수 있도록 도와준다. 어느 분야든 경쟁은 항상 존재하고 그 치열한 현실은 거부할 수 없으나, 그것을 즐기고 잘 이용한다면 더 빨리 성장할 기회를 줄 것이다.

경쟁을 잘 즐기는 자만이 진정한 강자 아닐까? 또한 자기 자신을 인정하지 못한다면 누군가를 인정할 수 있는 여유는 없다. 누군가의 인정보다 더 중요한 것은 나 자신에게 주는 나의 인정이 먼저이다. 내가 나를 인정할 때 비로소 나는 누구에게도 또 어떤 말에도 흔들리지 않는 멘탈을 부여받고 모든 것을 헤쳐 나갈 힘이 생길 것이다.

나를 응원해 주는
소중한 사람들

신기하게도 나와 맞지 않는 인연이 지나가면, 다른 새로운 인연이 다가왔다. "인간관계에도 유효기간이 있다."라는 말을 들은 적이 있다. 그렇게 유효기간이 정말 있는 듯이 나와 맞지 않는 인연이 지나가서 힘들어할 때 다른 좋은 인연이 다가와 주었다.

"여러분은 더욱 높이 올려줄 사람만을 가까이하세요."

- 오프라 윈프리

나는 내가 존경할 수 있는 사람 그리고 함께 성장할 수 있는 사람들을 가까이 두기로 했다. 한국에서 수업으로 만나게 된 인연으로 어렵게 출강의 일도 함께 시작한 파트너 나탈리가 인도네시아에 있다. 우리는 해외 수업을 우리의 새로운 도전이라 생각했고 서로 뜻이 맞아서 함께 시작했다.

함께 일을 시작하고 얼마 안 되었을 무렵 우리에게 가장 적은 수강생분들이 등록한 적이 있다. 하루의 총인원이 15명인데 하루에 몇 명밖에 안 되어 총일수를 합쳐도 얼마 안 되는 인원수였다. 그 인원수는 사실 비행기표, 호텔, 기본 재료비를 빼면 우리에게는 남는 수익이 없다는 의미기도 하다. 총인원수가 많지 않았고 한 클래스에 몇 명 없는 수업을 나는 이어가기도 조금 미안한 마음이 들어 나탈리에게 이번에는 가지 않는 게 좋을까? 조심스럽게 물어본 적이 있다.

"내가 가더라도 우리는 수입이 없을 거야. 그래

도 넌 괜찮겠어?"

하지만 그녀는 대답했다.

"우리가 수업을 취소하거나 연기하게 되면 등록한 몇 명의 수강생분들께 신뢰를 잃을 거야. 나에게는 이 수업이 큰 의미가 있어. 그래서 네가 온다면 좋겠어. 수강생들도 좋아할 거야."

무슨 의미가 있지? 나는 이해할 수 없었다.

언제나처럼 그녀는 나를 반겨주었고, 그렇게 수업은 그대로 진행되었다. 긴 수업이 끝나고 나는 그녀에게 물었다.

"이 수업이 너에게는 어떤 의미야?"

그녀는 내게 대답했다.

"이 수업은 내가 필요한 사람이라는 것을 느끼게 해줘. 내가 누군가를 도와줄 수 있는 것도 좋고, 누군가에게 내가 필요하다는 것도 좋고 그래서 나는 너무 행복해. 너와 함께 성장하는 것도 나에게는 큰 의미야. 더 열심히 일하고 싶어져."

언제나 긍정 천사인 그녀는 그렇게 말했고 나는 그녀의 말에 기뻤다. 그녀가 그렇게 생각하고 말한 것에 조금 놀랐고 참 고마웠다.

수업으로 알게 된 또 다른 소중한 인연이 일본에 있다. 플라워 케이크를 배우러 한국으로 왔고 그렇게 우리의 인연은 시작되었다. 유키와 함께 해외 출강도 가고 일본에서 함께 클래스도 여러 번 진행했는데 나와 모든 걸 함께하는 선생님 중 한 분이다. 힘들 때도 함께 고생하고, 즐겁고 기쁠 때도 함께 기뻐하는 그런 사람. 같은 일을 하는 사람이기에 공감할 수 있는 이야기도 많고 서로 응원할 수 있는 사이이기도 하다.

그리고 그녀와는 항상 같이 있는 시간이면 고등학생이 되는 것 같은 느낌이다. 사소한 것에도 까르르 웃음이 나와서 자꾸만 보고 싶은 그런 친구이다. 눈만 마주쳐도 재미있고 웃을 수 있는 그런 사이, 말하지 않아도 아는 그런 사이, 기쁨과 슬픔을 함께 나눌 수 있는 그런 사이.

이렇게 옆에 진심으로 함께 기뻐하고 슬퍼할 수 있는 따뜻한 사람들이 있다는 것 자체가 너무 큰 힘이 될 때가 있다. 가끔은 일이 힘들어지고 또 마음이 힘들고 지칠 때 언제나 그들은 나를 응원해 준다. 안부를 묻고 언제나 응원한다고 말해주니 소중한 사람들을 생각하면 나도 더 힘내야지, 다시 일어나서 열심히 해야지 하고 생각이 들게 해준다.

나에게 언제나 고마운 사람들, 가족들, 나의 남편 그리고 내 소중한 인연들. 아무런 의심 없이 이분들은 나를 응원해 주고 있다고 말할 수 있다. 그것이 내가 인생을 더 열심히 살아가는 이유일 것이다.

꽃 케이크 클래스의
새로운 시장을 개척하다

  누군가는 나에게 못 할 거라고 했지만 나는 나를 믿기로 했고, 내가 할 수 있다면 해보기로 했다. 외국인 수강생의 예약을 받고 한 달 전부터 영어 공부를 하며 모든 영어 문장을 워드로 작업하고 읽고 또 읽고 외웠다. 기술을 알려주면서 영어를 같이 해야 했기에 손으로는 연습하면서 또 눈으로는 영어 스크립트를 보면서 한 달 동안 그렇게 떨리는 마음으로 수업을 준비했다. 내가 원어민이었다면 별거 아니었겠지만, 난 뼛속까지 한국인 이었기에 더 열심히 해야 했었다.

  처음 도전해 보는 일이었기에 너무 두려워서 포

1부   결핍으로 가득 찬 나의 20대

51

기할까 여러 번 생각도 했지만, 예약금도 미리 받았고 수업 날짜는 다가오고 있으니 내가 포기할 수 있는 상황도 아니었기에 받아들여야 했다. 그렇게 외국인과의 처음 클래스를 했고, 서툴렀지만 준비한 대로 잘 수업을 마쳤다.

그 당시 이 분야에서는 외국인 수업을 한국 사람이 직접 영어로 가르치는 수업이 없었고 대부분 선생님은 통역을 붙여서 수업을 진행했기에 클래스 비용도 만만치 않았다. 그렇게 수업을 끝내고 외국 수강생분은 다행히 클래스에 만족해 주셨고 의사소통이 된다는 부분이 너무 좋았다고 말씀을 해주시니 나 또한 그렇게 기쁠 수 없었다. 영어도 연습하고 기술도 가르치고 가장 좋아하는 두 가지를 수업 중 사용할 수 있었기에 나의 만족도 또한 높았다. 그렇게 외국인 클래스를 처음 시작했고 그 인스타의 후기를 본 다른 외국인들의 문의가 조금씩 몰려오기 시작했다.

한국의 경쟁은 너무나도 치열했기에 그곳에 내가 설 자리는 없었다. 이미 많은 쟁쟁한 분들의 활동 영역에 나는 들어갈 수 없다고 생각했고 그렇게 방향을 돌려 내가 좋아하는 방향으로 시장을 외국으로 돌렸다. 나 자신을 인정하고 받아들이고 할 수 있는 것에 노력하고 집중했다. 나는 원어민이 아니기에 나의 영어 구사 능력이 완벽하지 않지만, 나의 방식과 노력으로 충분히 할 수 있다고 믿었고 한국 시장에서는 경쟁력이 충분하지 않았기에 새로운 길을 선택했다.

아무도 가지 않는 길은 조금 두렵긴 했지만, 또 설렜다. 내가 가고 싶은 길로 가면 되니까. 정해진 것이 없고 자유롭게 내가 하고 싶은 걸 해보면 되니까.

누군가의 말에 신경 쓰고 그 통제 안에서 행동했다면 나는 그렇게 결심하지 못했을 것 같다. 누군가가 아닌 나 자신을 인정하고 받아들이고 또 포기하지 않고 그것을 위해 노력하려 했고, 지금 나는 그때의 내가 마음 가는 대로 결단했던 것이 정말 다행이라고 생각된다.

가끔은 내 마음이 가는 대로 인생의 장애물을 치워버리자. 마음이 가지 않는 말을 믿는 그 순간 장애물은 내 안에 스스로 만들어진다. 누구도, 어떤 말도 내 인생의 장애물이 될 수는 없다. 내가 허락하기 전까지는.

2부

저는
K-케이크
디자이너입니다

케이크 디자이너(Cake designer)와
파티시에(pâtissier)

 케이크를 만드는 사람. 페스츄리 쉐프(pastry chef) 또는 파티시에(pâtissier)라고 알고 있는 디저트를 만드는 전문가를 뜻한다.

파티시에는 맛있는 디저트를 만들기 위해 고급 재료로 여러 가지 맛의 밸런스를 맞추어 최상의 미각적인 즐거움을 줄 수 있도록 창조해 낸다. 보기도, 맛도 그리고 풍미도 좋은 심플하고도 고급스러운 예쁜 디저트를 만들어 고객에게 최고의 디저트 세계를 선물하며, 고객의 연령대는 크게 상관없이 남녀노소 맛있게 디저트를 즐길 수 있도록 만든다. 파티시에의 입맛에 맞춰 여러 가지 디저트를 만들어 내고 그 정성이 들어간 디저트는 단 한입만으로도 손님을 행복하게 만들어 줄 수 있는 황홀한 디저트가 된다. 일상의 모든 스트레스를 순간 날려버리고 달콤한 행복으로 만들어 줄 수 있는 최고의 디저트의 한입을 선물하는 직업.

케이크 디자이너는 화려하고 특별한 디자인으로 손님에게 맞춤 디자인의 감동을 선물하고, 케이크의 다양한 맛으로 시각적인 즐거움을 줄 수 있도록 창조해 낸다. 디자이너답게 조금 더 디자인에 집중

해서 케이크를 제작하고 디자인이 화려하거나, 고급스럽거나, 예쁘거나, 귀엽거나 고객의 주문에 따라 그리고 고객의 연령대에 따라서 천차만별의 케이크 디자인이 만들어진다. 고객이 원하는 맞춤 디자인 케이크를 만들었을 때 고객의 상상 속 아이디어가 케이크 디자이너의 손에 만들어진 케이크는 말할 수 없는 기쁨을 선물할 것이다.

케이크 디자인은 고객에게 큰 기쁨과 행복을 드릴 수 있다. 하지만 맛도 빠질 수는 없는 법. 뽀송하고 부드러운 제누와즈 케이크와 적당히 달콤하고 밀키한 크림 그리고 상큼한 과일과 함께, 또는 묵직한 풍미와 각 재료의 특색이 잘 담겨있는 파운드 케이크 그리고 버터의 고소한 풍미로 가득한 여러 가지 맛의 크림과 함께 고객에게 특별한 날을 더 특별하게 해드리는 직업.

겉으로는 같은 직업으로 보이지만 세밀하게는 전혀 다른 전문성을 가지고 있다. 파티시에는 디저트

종류에 따라 그 안에서도 전문 분야가 굉장히 많이 나누어지며 케이크 디자이너의 커스텀, 즉 맞춤 주문 제작 케이크는 디자인 측면에서 많이 나누어진다. 디저트와 케이크를 구입하는 고객의 목적이 구분되기에 그것에 맞는 디저트를 만드는 것이 각각의 역할이기도 하겠다.

케이크 디자이너는 파티시에만큼 여러 가지 밸런스를 맞춰 최고의 디자인 케이크를 최고의 맛으로 커스텀, 즉 맞춤 제작하여 만들어 낼 수는 있겠지만 두 가지를 모두 충족시키려면 두 배의 시간이 필요하다고 말할 수 있겠다. 케이크 디자이너는 파티시에보다는 아티스트에 가깝기 때문에 디자인의 창작에 더 많은 시간을 투자한다.

두 직업은 모두 매력적인 일이었기에 그 두 가지의 길에서 굉장히 많이 고민했지만 내가 하고 싶었던 것은 케이크 데코레이션, 새로운 디자인과 창작이었고 그런 부분이 나의 성격에 잘 맞는듯하였다. 그렇게 나는 파티시에가 아닌 케이크 디자이너로서의 삶을 택했고 어느덧 8년째 이 일을 계속해 오고 있다. 케이크 디자이너는 한국에서는 아직 조금 생소할 수 있지만 최근에 주목받고 있는 직업 중 하나라고 한다.

우리가 아는 파티시에와는 다른 명칭이기에 한국

에서는 케이크 공방 선생님, 베이킹 공방 선생님으로만 더 많이 알려진 듯하다. 조금씩 바뀌고 있는 게 보이긴 하지만 아쉬운 부분은 한국에서는 케이크 데코레이션이 아직도 그렇게 큰 부분을 차지하고 있지 않기 때문에 그렇다고 볼 수 있겠다.

서양에서는 결혼할 때 웨딩케이크가 웨딩드레스만큼이나 중요한 웨딩케이크의 문화가 있고, 어렸을 적부터 엄마가 구워주는 케이크를 먹고 함께 케이크나 쿠키를 만드는 것 자체가 일상이 되어버린 문화이기에, 또한 생일과 특별한 날에는 맞춤 케이크 없이는 안된다는 그들의 문화 인식에 따라 케이크 디자이너, 케이크 데코레이터라는 명칭과 직업이 굉장히 뚜렷하게 나타나 있다. 하지만 한국에서는 그런 문화가 없기 때문에 아직도 생소할 수밖에 없다.

우리는 대형 베이커리 프랜차이즈에서 케이크를 사서 생일 파티를 하는 문화는 있고, 조금씩 우리

의 케이크 디자인 시장도 넓어지는 것이 보이긴 한
다. 하지만 대기업으로 인해 개개인 케이크 디자
이너들이 설 자리는 많지 않은 우리의 현실에 조
금 아쉬운 부분은 있다. 새롭게 변하고 있는 이 시
대에 조금씩 우리 재료들, 그리고 우리의 디자인과
함께 케이크를 접목해 더욱 새로운 것을 만들어 내
는 것이 우리의 과제가 아닐지 다시 생각해 본다.

지금은
K-디저트 시대

케이크 데코레이션 부분이 한국에서는 생소하고 작은 시장이라는 것에 조금 아쉬움을 느낀다. 하지만 당당히 말할 수 있는 부분은 케이크 데코레이션의 강국은 지금 한국이라는 것. K- pop과 K- 드라마, K- 음식, K- 디저트의 열풍으로 트렌드는 한국이 되었고, 그 트렌드에 맞춰 K-케이크 데코레이션 역시 트렌드는 한국이고 한국에 굉장히 많은 케이크 디자이너가 베이킹 공방 선생님 또는 케이크 공방 선생님이라는 이름으로 활동하고 있다.

한국의 섬세한 감각과 한국 케이크 디자이너들의 뛰어난 색 감각, 그리고 디테일에 몇 년 전부터 케이

크 데코레이션의 강국은 한국이 되었다. 서양에서 시작된 케이크 데코레이션의 일부분인 버터크림 플라워 케이크를 한국의 많은 케이크 디자이너가 함께 노력하여 개발했기에 이제는 전 세계가 한국의 버터크림 플라워 케이크를 최고라고 생각한다.

외국에서 굉장히 많은 파티시에와 케이크 디자이너들이 플라워 케이크를 한국에서 배우려고 한국으로 들어왔다. 당연한 것이 그들에게는 본국에서 새롭게 처음으로 시작할 수 있는 트렌디한 아이템이었으니까. 그 당시 한국에서 배운 기술로 본국에서 사업을 시작한 분들은 빨리 성장하고 많은 수익 창출을 누렸다.

한국에서 디저트를 배우고 플라워 케이크 같은 케이크 데코레이션을 배워가는 게 외국에서도 트렌드가 되었고, 전 세계의 파티시에와 케이크 디자이너들, 그리고 홈 베이커들 사이에서는 한국에서 플라워 케이크를 배웠다고 말하면 인정해 주었다.

서양의 것을 우리가 다시 재해석해서 이루어 낸 결과이다. 이게 얼마나 놀랍고 자랑스러운 일인지. 나 또한 그 공방 선생님 중 한 명이었지만 내가 한국에 있는 케이크 디자이너라는 것이 뿌듯하고 너무나도 자랑스러웠다.

지금도 나는 이 자랑스러운 이들 중 한 명의 케이크 디자이너로서 내가 좋아하는 일을 하며 케이크와 행복하고 또 다른 사람들에게도 행복을 줄 수 있도록, 또 내가 만든 케이크로 그들의 특별한 날이 더 특별해질 수 있도록, 나의 가르침으로 그들이 새로운 도전을 할 수 있도록, 예쁜 케이크를 만들고 케이크 클래스를 진행하고 있다. 더 나아가 케이크로 행복을 드리고 여러 사람에게 새로운 길과 그 가능성을 알리고 있다.

디저트와 베이킹을 좋아하는 이들에게, 또 새로운 일을 해보고 싶은 이들에게, 직장이 아닌 시간적으로 자유롭게 일을 하고 싶은 분들에게, 나이가

들어서도 계속할 수 있는 일을 찾는 분들에게, 손으로 무언가를 만들고 싶은 분들에게, 잠시 일상의 스트레스를 벗어나 힐링이 필요하신 분들에게, 창업을 해보고 싶으신 분들에게, 경력 단절된 직장인 맘이 아이를 키우며 하고 싶은 일을 찾는 분들에게, 또한 케이크 데코레이션의 더 넓은 세상을 경험해 보고 싶은 제과제빵 학생분들에게, 혹여 누군가 이 길을 원한다면 조금이라도 빠른 지름길을 알려드리고 싶다. 나 또한 직장생활을 하며 돌고 또 돌아 이 길을 선택했기에 내가 생각하는 이 일의 가치가 다른 분들에게도 전해지기를 바란다.

디저트 사업의
체크인

  디저트의 세계는 아이디어와 아이템의 싸움이다.
우리나라 디저트 업계의 특성은 트렌드가 너무나
도 빨리 바뀐다. 코로나 이전에는 3개월에서 6개
월이면 트렌드가 바뀌는 현상이 나타났고 1년이
되면 이미 끝난 트렌드가 되어버렸다.

  모든 사업이 그러하듯 디저트 역시 체크인 시간
에 맞춰 체크인하고 탑승을 완료해야 트렌드에 맞
게 뛰어들 수 있다. 탑승 시간을 못 맞춰 놓쳐버린
비행기처럼, 무심하게 트렌드는 떠나고 나는 언제
또 탑승할 수 있을지 모르는 상황이 되어버리고 최
악의 상황은 다시 탑승하더라도 이미 늦었을 수 있

다. 그때는 이미 많은 사람의 카피가 시작되어 내가 새롭게 하기엔 너무나도 늦어 버릴 테니까.

코로나 시기에는 사실 트렌드가 그렇게 빨리 바뀌지는 않았던 것 같다. 디저트 업계의 상황도 그리 좋지 않았고 케이크 디자이너들도 수업할 수 없었던 기간이 있었기에 트렌드는 전보다는 조금 천천히 흘러가는 듯했다.

하지만 코로나가 일상화가 되어버린 지금 다시 바뀌고 있다. 모든 것이 엄청난 속도로 바뀌듯 디저트 업계도 점점 속도를 내는 것 같다. 개인 케이크 디자이너들은 대게 케이크 주문 판매를 하거나 카페 납품 또는 수업을 진행하는데 이 케이크 디자인 부분에도 코로나 시기에는 큰 트렌드가 선명히 보이지 않더니 다시 트렌드가 바뀌어 가는 것이 눈으로 빠르게 읽히고 있다.

한국의 케이크 디자인의 트렌드는 6개월이면 거의 다 퍼지고 한 케이크 디자이너의 케이크가 예쁘

면 많은 케이크 디자이너가 그것을 배우러 가고 그렇게 배워서 똑같은 디자인을 뽑거나 아니면 바로 카피가 나온다. 그렇게 짧게는 6개월 길게는 1년이면 그 디자인은 슬프게도 흔한 디자인이 되어 버린다.

레시피 또한 그렇다. 아무리 내가 만든 특별한 레시피라고 하더라도 그것은 곧 퍼지게 되어 특별한 것이 아닌 누구나가 아는 것이 되어버리는 것까지 기한은 길지 않다. 케이크 디자이너의 모든 창작품의 유효기간은 6개월 내지 1년이라는 것은 슬프지만 받아들여야 하는 현실이다. 그 기간 안에 내 디자인의 가치를 열심히 수익으로 뽑아야 하는 것이다.

간혹 디자인이나 레시피 부문의 특허를 내시는 분들도 계시고 어떻게든 나의 디자인을 지키는 방법이 있기는 하다. 하지만 아쉬운 점은 디자인 특허도 그렇지만 레시피 특허에서 모든 레시피를 지

켜주지는 못한다는 것이다. 레시피를 특허 낼 때는 레시피가 공개된다는 전제가 있다. 내 레시피와 그것을 만드는 방법까지 모두 다 공개될 것이라는 염두를 한 후 특허를 등록해야 한다.

그 레시피를 누군가가 변형하여 사용할 수 있고 또한 그러한 사례가 많듯이 핵심 레시피는 공개하지 않으면서 특허를 내야 하는데 특허를 낼 때는 그램 수를 조금 바꿔서 기재하거나 몇 그램쯤으로 애매하게 기재를 하라고 한다.

하지만 특허를 낸 후 누군가가 나의 레시피를 사용해서 내가 그것으로 법적 조치를 취하거나 보호를 받으려 할 때 적용되지 않을 수 있다. 그램 수가 1g만 달라도 법적 보호를 받을 수 없는 것이 현실이기 때문이다. 가장 큰 예는 코카콜라는 특허권 대신해서 영업 비밀을 유지하고 이러한 사유에서 레시피를 공개하지 않는 방법을 선택한 것이다.

이렇듯 나의 창조물을 지켜내기란 쉽지 않고, 너

무나도 슬프지만 받아들여 하는 것이 현실이다. 유효기간이 길지 않은 만큼 계속해서 새로운 디저트와 창작품을 만들어야 하는 것이 현실이기에 나 또한 많은 창작품을 위해 많은 시간을 쏟고 있다.

빠르게 돌아가는 이 업계에서 살아가는 케이크 디자이너들 그리고 많은 파티시에가 참으로 존경스럽다. 보이지 않게 얼마나 많은 노력을 하고 있을까? 디저트나 케이크 디자인이 한순간에 뿅 하고 나오면 좋겠지만 그런 것이 아니기에 그들의 노고를 알고 많은 분이 디저트를 더 많이 즐겨주셨으면 한다.

SNS의 꿈 같은
케이크 디자이너의 일상

　케이크 디자이너라는 일을 하며 행복과 즐거움을 느끼는 날이 많지만 사실 반대로 그렇지 않을 때도 많다. 세상의 이치상 어떻게 다 좋은 일만 있을 수 있을까?

　SNS의 시대에 사는 우리. 자기 어필의 세계에서 SNS를 한참 들여다보고 있으면 세상에는 잘난 사람들이 너무나도 많다. 모두 예쁘고 잘생겨 보이고, 잘나 보이고 모두가 경제력도 뛰어나 보이는데 나만 못나고 나의 인생만 못난 현실이다. SNS의 모든 사람은 모두가 다재다능한 것 같이 보이고 가상 세계의 부캐가 여러 개 존재하기 때문에 모두가

다중인격자가 되기도 한다.

하지만 분명 모두가 현실을 살고 있고 그 사실은 가상에서 보이는 것보다 보이지 않는 것들이 더 많을 것이다. 현실은 모두가 복잡하고, 어렵고, 하고 싶지 않은 일투성이지만 그 현실과 함께 행복과 즐거움도 반대로 존재할 테니까.

그렇다면 플라워 케이크 디자이너라고 하면 어떻게 상상될까? 예쁜 것 그리고 맛있는 것을 만드는 직업? 대부분의 사람이나 수강생분들은 항상 좋은 이면을 보기 때문에 각기 다른 환상을 갖고 있기도 하다.

SNS식 감성을 펼쳐보면, 예쁜 여자가 원피스 앞치마를 입고 맛있는 케이크 냄새가 솔솔 나는 아주 감성적이고 아름다운 공간에서 카페에서나 나올 것 같은 재즈나 팝송을 들으며 여유 있는 커피를 한잔하며, 우아하게 앉아 크림 꽃을 만들어 케이크에 올리고 예쁘게 사진을 찍는다. 그리고 완성된

케이크 사진도 함께 나란히 찍어서 SNS에 올린다. "플라워 케이크 디자이너의 일상", 참 감미롭고 여유로워 보인다. 많이 보았을 것이다. 그리고 나 역시도 SNS에서는 이렇게 지내고 있으니까. 이런 것들은 SNS의 감성이며, 현실을 살아가기에 필요한 마케팅의 수단일 뿐이다.

꽃 케이크 디자이너의
현실

  그렇다면 현실은? 아침부터 정신이 없다. 오전 수업이 있어서 분명히 어제 난 무엇을 해야 할지 다이어리에 리스트를 적어 놓았음에도 불구하고 결국은 집에 두고 나왔다. 열심히 적어 놓은 이유가 사라졌고, 자고 나니 다 까먹었다.

  잠을 자기 전 내일은 일찍 일어나서 내 하루를 일찍 시작해야지. 아침에 운동도 하고 책도 좀 보고 여유 있게 시작해야지, 그렇게 다짐했건만. 몇 시간 전 결심했음에도 수업 한 시간 전에 급하게 일어난다.

  대충 얼굴을 씻고 풀어헤친 머리를 집게로 가볍

76

게 올리고 작업실로 출근한다. 비몽사몽으로 운전대를 잡고 출근하는데 그나마 신나는 노래로 나의 잠을 깨워주고, 간혹 누군가 불친절하게 끼어들기 운전을 하면 그곳에서 덜 깬 잠이 깨기도 한다.

출근하여 수업을 준비하는데 수업 시간이 벌써 다 되었다. 천만다행히도 지난밤 조금이라도 준비를 해 두었기에 안도의 한숨을 내쉬며 수업 10분 전 화장을 한다. 입술에라도 색감을 조금 넣어준다. 생기야 생겨라. 상대방에게 최소한의 예의는 지켜야 하니까.

오후쯤 수업을 잘 마치고 작품 사진을 찍는다. 작품 사진은 중요하다. SNS에 꼭 올려야 하니까. 꼭 해야 하는 나의 일이다. SNS에 올릴 사진을 찍고 오늘의 수강생을 만족스러운 얼굴로 보내고 나면 뿌듯하지만 몰려오는 피곤함에 한동안 멍을 때린다. 그렇게 몇 분을 보내면 다시 일이 시작된다.

디저트, 케이크를 만드는 사람이라면 모두 아는 그 시간. 싱크대에 두 개의 산이 만들어져 있다. 보고 싶지 않아 잠시 보기를 거부한다. 수업하고 분명 일을 했음에도 또 다른 두 번째 일이 시작된다. 설거지가 산더미가 되어 쌓여있다. 누가 저걸 다 쓴 거야? 그건 바로 나.

가장 아까운 시간이기도 하지만 꼭 해야 하는 그 시간···. 또한 이렇게 설거지 시간이 끝나면 또 내일을 준비해야 한다. 수업이 있으면 수업을 준비하고 주문 케이크가 있으면 또 준비하여 주문 일정을 맞춰야 한다.

일상이 준비와 일의 연속이다. 끝이 없는 일. 그렇게 모든 준비가 끝나고 육체적 노동이 끝났다. 빠르게는 저녁 시간이지만 대부분 9시 넘는 시간이나 자정이 넘는 시간까지 준비하거나 개인 작업을 할 때도 있다. 이렇게 퇴근 시간은 아주 자유롭게 내가 정할 수 있다.

자영업자라 마음대로 편하게 퇴근할 수 있을 거라고 하겠지만 끝이 없는 일에 대부분의 퇴근 시간은 평균 9시이다. 이렇게 작업실에서의 일을 마치고 집으로 돌아가면 또 세 번째 일은 시작된다.

컴퓨터 앞에서의 일. 메일로 문의를 체크하고 블로그를 올리고 SNS를 올린다. 기본 SNS를 올릴 때 최소 30분에서 1시간 이상이 걸린다. 수업 후 가장 잘 나온 사진을 골라야 하고 영상을 만들 때면 한두 시간은 기본으로 걸린다. 이렇게 집에서의 일은 또 시작되어 진짜 일의 끝은 자기 전이라고 할 수 있겠다. SNS를 하고 요즘의 트렌드를 잠시 보고 있노라면 시간이 무섭게 지나간다. 가끔은 운동을 해야 한다는 생각으로 12시에 운동을 시작한다. 그러면 나는 모두가 잠든 시간에 점점 깨어난다. 정신이 맑아진다. 이렇게 평균 2시쯤 잠에 든다.

가끔은 잠이 제일 달콤하다. 어떤 맛있는 디저트

보다도. 자영업자는 가끔 생각할 것이다. 아무것도 안 하고 며칠 그냥 잠만 자고 싶다고. 이 일이 좋기도 하지만 또 안 좋기도 하다. 열심히 살기에 항상 인생이 피곤하다.

모든 것은 이면이 있는 법.

밀곡은 핏시고 필꼼하세 빛닐 서아

체코에서
왔어요

 수업을 시작한 지 얼마 안 되었을 때 체코에서 오신 한 수강생분을 만난 적이 있다. 처음 가르치는 것의 시작을 집에서 시작했기에 수강생분들은 집으로 와서 수업을 듣게 되었다.

 체코 리퍼블릭. 아무런 정보도 없는 나라였고 그먼 나라에서 이곳까지 이 기술을 배우러 와주셔서 난 감사하던 참이었다. 설레는 마음으로 처음 만나던 날 30대 중 후반쯤 되는 예쁜 외국 여자분이 어떤 남자와 함께 오셨다. 그 남자분은 한국변호사인데 지인이라서 처음 오는 수업에 데려다주셨다고 하셨다. 외국에서 듣는 수업이라 조금은 무서웠나

보다.

그렇게 변호사분과 인사를 하고 그분은 수업 스케줄 체크 후 금방 가셨고 그 여자분은 한참을 어색하게 주위를 둘러보셨다. 우리는 수업을 시작했고 그렇게 한 두 시간쯤 지나고 수업이 어느 정도 진행이 되었을 때쯤, 그분이 말하기 시작했다.

"나 너의 인스타를 팔로우한 지 일 년 정도 되었어. 그리고 한참을 배우고 싶어서 드디어 한국에 너의 수업을 들으러 오게 되었는데 사실 조금 당황스럽고, 실망스럽네."

"너의 수업 말고 다른 사람 수업도 등록을 해놨는데, 혹시 한국은 다 이런 곳에서 가르치니?"

예쁜 얼굴로 조곤조곤 할 말은 다 하는 이 수강생은 무엇을 물어보고 싶은 건지 빙빙 돌려가며 사람속을 조금씩 긁더니 그분은 다시 말했다.

"인스타그램에서 너는 굉장히 프로페셔널하게 보이거든, 그런데 이런 곳에서 수업한다니 당황스럽

고, 놀랍네. 하하."

그러면서 한마디를 더 붙였다.

"그래서 말인데 나 내일 수업 취소하고 싶은데? 더 이상 수업을 듣고 싶지 않아."

너무나도 당황스러웠다. 수업은 이미 시작되었는데 내일 수업을 취소한다고? 몇 개월 전부터 수업을 문의하고 등록해서 이제 배우게 되었는데 당일에 와서 수업을 취소한다니. 그것도 이 멀리 한국에 와서? 너무 직설적으로 말하기에 난 어이가 없었고 한동안 아무 말도 할 수 없었다. 또한 집에서 하는 수업이라고 이미 공지했고, 그 후 오셨기 때문에 큰 문제는 없을 것으로 생각했다.

그렇게 그분을 당황하고 어이없는 표정으로 바라보고 있으니, 그분은 더 나아가서 "환불은 가능하니?"라고 말하고 있었다. 무례하게 또 그렇게 당당하게 말하는 모습을 보니 내가 괜히 잘못한 기분도 들고 왠지 모르게 너무 슬프고 서러웠다.

그 당시 나는 수업할 공간이 따로 마련되어 있지 않았고 공방의 처음 시작을 집에서 시작했어야 했다. 재료비도 충당이 안 되었기에 렌트비를 감당할 수 없었다. 당시 집은 복도식 21평 정도의 아파트였고 거실에는 소파와 티비가 들어가면 가득 차서 티비와 소파가 거리가 굉장히 가까웠기에 티비를 보면 눈이 금방 피로해질 정도로 거실에 충분한 공간이 없던 상태였다. 수업이 있는 날에는 소파를 베란다에 치워서 수업해야 했고 그렇게 소파를 치운 공간에서 접이식 테이블을 하나 놓고 수업을 시작했다.

지금 생각해 보면 그도 그럴 것이 수업 공간으로는 좋지 않은 환경을 제공한 게 맞다. 이제 생각해 보니 그때야 어쩔 수 없다고 생각했지만, 충분히 그분은 그렇게 생각할 수 있었다 싶다. 화려한 인스타와는 다르게 현실은 참으로 실망스러웠을 거다. 사실 그게 현실인데 말이다. 그렇게 그때 만난

수강생분은 큰 충격을 안겨주고 떠났다.

　하지만 지금 생각해 보면 집에서 한다는 말은 이해했지만, 한국의 아파트가 아닌 그녀가 말했던 본인의 집처럼 체코의 큰 하우스 형태로 상상하고 오지 않았을까 생각해 본다. 그렇게 그분이 떠나고 그 마음의 찜찜함은 한동안 잊을 수가 없다. 환경으로 나의 기술까지 무시당한 기분이랄까? 하지만 그 계기로 생각지 못했던 나의 환경이 나에게 중요한 이미지가 될 수 있다고 생각하게 되었다.

　물론 실력만큼 중요하지는 않지만, 환경 또한 실력을 조금 뒷받침해 줄 수는 있다는 것이 현실이다. 그 이후로 빛 좋은 개살구는 되기 싫어 열심히 실력을 더욱 키우고 조금씩 환경도 바꾸면서 새로운 작업실을 얻을 수 있었다. 나는 그렇게 나의 삶에 조금의 변화를 주었고 또한 더 열심히 내 일을 하며 더 나은 환경을 수강생분들께 제공하기 위해서 나아가고 있다.

몇 년이 지난 지금은 체코의 그분에게 감사하기도 하다. 그때 그렇게 나에게 충격과 독설을 주고 떠나서 내가 이렇게 다른 환경에서 성장하고 있으니 말이다. 가끔은 환영하지 않는 누군가의 독설이 필요하기도 하다. 현실감이 떨어질 때 그 독설은 나에게 지독한 현실을 보여주고 어떻게 나아가야 할지 그 방향성을 알려주기 때문이다.

꿈 같은
달콤한 기회

　한번은 인도네시아에서 온 외국인 수강생을 받은 적이 있었다. 한국으로 여행을 올 겸 이틀 동안 진행되는 케이크 수업을 등록했고 우리의 인연은 그렇게 시작되었다. 그분이 오기 전에도 나는 한 달 정도 가까이 영어 스크립트를 외우고 연습을 해가며 수업을 준비했고 그렇게 설레고 떨리는 기분으로 인도네시아에서 온 수강생분 나탈리를 만났다.

　수업은 새로운 사람들을 만나고 이야기하는 시간이 많기 때문에 항상 수업 전에는 새로운 분들을 만나기 전 떨리고 내심 걱정된다. 항상 좋은분

들이 나를 찾아와 주시기를 바라는 마음이지만 간혹 나와 맞지 않는 수강생분을 만나면 힘든 시간이 될 수 있다.

귀여운 얼굴을 한 그 수강생분은 착하고 또 순해 보이는 이미지였다. 걱정은 덜 수 있었다. 다행히도 연습한 대로 잘 알려드리고 재밌게 대화도 잘하면서 시간은 흘러갔다. 그렇게 수업은 잘 마무리됐고 아쉬웠지만 언젠가 다시 만나기로 하고 작별 인사를 했다. 너무나도 좋은 성품을 가진 분이셨기에 기억에 많이 남을 것 같았다.

그로부터 몇 주 후 한 통의 전화를 받게 됐다. 어떤 남자로부터 걸려 온 전화.

"안녕하세요. 저 지난번 인도네시아에서 오신 분의 여행 가이드였는데요. 케이크를 배우러 가셨다고 하셔서 이야기를 들었는데 제가 제안해 드릴 게 있어서 연락드렸습니다."

무슨 일이지? 가이드? 가이드에게 연락받을 거

라 상상도 못 했기에 놀란 마음에 통화를 이어갔
다. 한 시간 정도 통화 후 겨우 그의 의도를 알게 되
었다. 다행히 불안감은 사라졌고 그분은 사실 나와
같은 분야의 다른 케이크 업체에서 함께 일을 했던
경험이 있었고 현재는 그 업체에서 일은 하지 않지
만, 그때 하고자 했던 일을 이제는 나와 함께 하고
싶다고 연락을 준 것이다.

  예전의 업체와는 어떠한 사유로 일을 중단하였
지만 사실상 그 기술을 가진 다른 사람이 나였기
에 그 일을 나와 함께 해보고 싶다는 거였다. 그
일은 내가 가진 기술로 해외에서 수업을 여는 해
외 출강이었고 바로 그 시기에 케이크 업계의 해
외 출강은 사실상 탑이라 하는 이 업계의 잘 나가
는 케이크 디자이너들에게만 주어지는 기회였다.
또한 이 케이크 데코레이션이 어마어마한 트렌드
가 되어 모든 케이크 디자이너가 해외 출강을 가
고 싶어 하는 때, 마침 그것은 나에게 아주 좋은

기회였다. 꿈 같은 기회. 나 또한 그 일을 바라고 또 바랐었다. 단 그럴만한 기회가 없었을 뿐. 다른 유명한 선생님들이 해외 출강을 가는데 너무나도 부럽고 나에게는 꿈만 같은 기회였다. 그런데 그 가이드는 나에게 그걸 제안했다. 해외 출강의 꿈.

그분이 인도네시아어를 잘하고 인도네시아에 지인들이 있어서 같이 사업을 기획하고 있는데 나에게 온 그 수강생분 나탈리가 수업을 들었다는 이야기를 듣고 나와 함께 새로운 사업을 해보고 싶다는 거였다. 나탈리도 인도네시아에서 베이커리 샵을 가지고 운영하고 있던 사업자이기에 마케팅 효과가 더 있을 것이고, 본인이 알고 있는 지인들이 많다며 그런 달콤한 말과 함께 그렇게 우리 셋은 해보기로 결심했다. 그 통화를 끊고 나는 정말 날아갈 듯 기뻤다. 나에게도 이렇게 기회가 오는구나. 꿈만 같던 그 기회가 나에게도 이렇게 오다니 정말 믿을 수 없었다.

그렇게 난 며칠을 구름 위에 있는 것처럼 설레며 큰 기대로 하루하루를 보냈고 그 가이드와 몇 번의 미팅을 했다. 홍보를 본격적으로 시작했고 우리는 그렇게 수강생을 모으고 몇 개월을 각자 열심히 준비했다. 꿈같은 기회를 놓치기 싫었고, 이제 기회를 잡아 나갈 일만 남았다고 생각했다.

꿈이
녹아버리다

3개월이 지났을 무렵 해외 출강 일정은 한 달 앞으로 다가왔다. 하지만 생각만큼 수강생이 모이지 않았고 그렇게 2주쯤 남았을 때도 몇 명의 수강생이 전부였다. 그 몇 명으로는 사실상 내가 갈 수 있는 비행깃값조차 나오지 않았고 호텔비며 기본 재료도 턱없이 부족했다.

문제는 그것뿐이 아니었다. 홍보하는 중간중간 인스타그램으로 몇 개의 DM이 왔다. 수업 문의를 해도 연락이 안 되고 정보를 받을 수 없다고… 마케팅을 진행하고 또 메일을 받으면 정보를 주고 수강생을 받는 담당을 했던 가이드가 전달하지 않은 것

이다. 가이드와도 한 주 가까이 연락이 되지 않았고 문제는 거기서부터 시작되었다. 구름 위에 떠 있던 기분도 서서히 불안한 마음으로 하루하루가 초조하고 불안했다. 나탈리도 처음 함께 준비하는 출강 사업이었기에 덩달아 불안하기는 마찬가지였다.

처음인지라 우리는 계약서도 없었고, 구두로만 함께 일을 하기로 한 상황이고, 몇 명의 수강생의 수강료는 가이드가 가지고 있었기에 우리는 몇 주를 그렇게 불안에 떨 수밖에 없었다. 금액이 큰 금액은 아니지만 그래도 문제가 생긴다면 우리 또한 책임을 져야 하는 상황이었기에 그 당시에 나에게는 그것조차 큰 부담이었다.

그렇게 며칠을 기다리고 기다리다가 가이드의 연락을 받게 되었다. 그는 결국은 해외 출강은 취소해야 할 것 같다고 나에게 통보했다. 또한 이렇게 해외 출강이 취소되는 사유는 내가 유명하지 않은 선생님이고 기술이 그리 좋지 않아서 수강생이 홍

미 있어 하는 것 같지 않다고. 그 말을 듣고 유쾌하지는 않았지만 그렇다고 반박할 수는 없었다. 슬프게도 초보 케이크 디자이너에게 경험이 부족하고 유명하지 않은 것은 인정해야 했으니까.

다행히 큰 문제는 없이 지나갔지만 그렇게 그분은 나를 탓하며 그리고 나의 자존심을 짓밟고는 사라졌고 나는 나의 부족함을 더 절실히 느끼며 나의 첫 번째 기회와 꿈은 뜨겁게 내 마음속에서 녹아버렸다. 너무 많은 기대를 해서일까? 정말 내가 못나서일까? 많은 생각에 빠졌다.

함께 준비하던 나탈리 역시 그 소식에 크게 실망하고 슬퍼했다. 몇 개월 우리는 열심히 준비했기에 함께 힘든 시간을 보냈고 실패를 맛본 우리들은 함께 서로를 위로했다.

생각의 전환
그리고 또 다른 기회

"이 세상은 도전해 볼 만하다.

어떠한 일이 있더라도 꿈을 잃지 마라.

꿈은 희망을 버리지 않는 사람에게는 선물로 주어진다."

-아리스토텔레스

그렇게 몇 주가 지나가고 문득 머리를 스치듯 떠올랐다. "왜 포기해야 하지? 우리 시작은 이미 했는데?" 그가 어떻게 우리 수업을 홍보하고 마케팅했었지? 전부는 아니어도 조금은 알 수 있었다. 적어도 그가 공유한 만큼은.

생각해 보니 나탈리와 나는 그와 함께 일을 하며 그가 어떤 방법으로 처음에 마케팅을 시작했는지 조금은 파악할 수 있었다. 우리는 홍보와 마케팅이 중요하다고 생각했고 그래서 자신이 있다던 그가 중요한 역할을 했다.

하지만 사실 그는 본업이 있었기에 우리의 홍보와 마케팅에는 많은 신경을 쓰진 않았다. 중요한 포인트는 우리는 그가 어떻게 이 일을 시작하는지를 함께 보고 배웠다는 것이다. 생각을 전환하여 다시 생각해 보니 사실 그 분은 우리에게 방법을 알려준 것이다. 모든 일은 시작이 어려운 법. 대부분은 시작을 몰라서 못 한다. "시작이 반이다"라는 말이 있듯이 그가 우리 시작을 도운 건 확실하다. 그가 우리를 움직이게 만들어 줬기에 그건 너무나도 감사한 일이다. 완벽한 사실은 지금은 그가 없을 뿐 우리는 이미 방법을 알고 있었다.

모든 것을 준비했던 것은 우리이기에 더 이상의

방해물은 없었다. 차라리 더 잘된 일 같았다. 새로운 우리만의 길을 만들면 되니까. 또한 나탈리 역시 베이커리 사업을 하는 사업자였고 우리의 의사소통에는 크게 문제가 없었다.

그때 생각했다. 왜 그런 문제 때문에 우리가 왜 포기를 해야 하지? 나와 나탈리는 생각보다 많은 시간과 비용을 투자했다. 현지에서 수업을 진행하게 되었을 때는 사용하는 재료나 도구가 다를 수 있어서 미리 찾아보고 테스트용으로 만들어보고 그 나라에 컨디션에 맞게 수업을 진행해야 했다. 현지에 있는 나탈리가 그 부분을 미리 테스트하느라 시간이며 비용이며 더 많은 투자를 했다. 나 역시 한국에서 여러 가지 정보를 공유하며 테스트해야 했기에 그 시간을 헛되게 만들고 싶지 않았다. 우리가 노력했던 몇 개월이 이렇게 사라지다니… 아쉽기도 하고 아까웠다. 그래서 난 나탈리에게 제안했다.

"나탈리 우리 그냥 같이해 볼래요? 우리가 계획했던 것들 우리가 다시 실행해 봐요."

"가이드가 없어도 우리가 열심히 하면 할 수 있을 것 같지 않아요? 지금까지 잘 견뎌왔잖아요?"

"이미 한번 실패했는데 두 번 실패는 두렵지 않을 것 같아요. 우리 한 번 더 해봐요. 두 번 실패해도 어쩔 수 없죠. 상황이 달라지는 건 없으니까."

나의 제안에 나탈리 역시 긍정적으로 받아들였고 우리는 다시 시작하며 설레기 시작했다. 하지만 한번 실패한 경험이 있던 우리는 조금 더 확실하게 준비해야 했기에 더 많은 시간을 투자하고 준비했고 홍보도 함께 진행했다.

인도네시아의 유명한 인플루언서도 초청해서 수업을 진행하는 것도 계획하고 모든 수업을 등록하면 할인을 해주고, 같은 지역이 아닌 타지역에서 오면 호텔과 차편을 제공하고 이렇게 나가는 비용이 많으니 사실상 당장은 우리에게 많은 수입을 바

랄 수는 없었다. 하지만 우리는 너무 행복하게 계획하고 준비했다.

　나는 케이크 디자이너로서 외국인들에게도 나의 기술을 가르치는 것이 필요했고 나의 경험과 도전이 필요했다. 또한 쟁쟁한 실력자들 가운데 한국 경쟁에서는 살아남을 수 없었기에 해외시장이 나의 성장할 수 있는 또 다른 기회였다.

　나탈리 역시 그 당시 인도네시아에 없는 새로운 트렌트, 그리고 해외에서 케이크 디자이너를 초청하여 수업을 진행하는 호스팅은 처음 도전하는 것이었기에 설레고 그녀의 사업을 키우기에도 좋은 기회였다.

　그렇게 우리는 몇 개월에 걸쳐 열심히 홍보하고 준비하여 우리가 상상했던 모든 것들을 실행할 수 있었다. 첫 기회의 실패를 맛보고 좌절하여 그 당시에는 너무나도 슬프고 아쉬워 하늘이 무너지는 듯했지만 우리는 포기하지 않았고 다시 일어났다.

그렇게 우리는 다시 일어나서 더욱더 단단해지는 법을 배웠다. 함께 노력해서 그때 우리가 원했던 새로운 길을 단단히 깔아 두었다.

그렇게 8년째 우리는 함께 매년 인도네시아 수업을 진행하고 또 함께 성장하고 있다. 두 번의 실패는 두렵지 않다. 처음의 실패를 맛보고 나면 두 번째는 꽤 할만하다. 그렇게 일어난 사람은 몇 번이고 부딪히며 언젠가는 무언가를 이루어 낼 것이고, 하루하루 무섭게 성장하리라는 것을 알기에 나는 그냥 열심히 부딪히기로 했다.

이 세상은 도전해 볼 만하기에 "어떠한 일이 있더라도 꿈을 잃지 마라. 꿈은 희망을 버리지 않는 사람에게는 선물로 주어진다"라고 아리스토텔레스가 말했듯이 꿈과 희망을 버리지 않고 열심히 도전한 후 나의 다음 선물이 어떤 선물일지 상상하고 또 기대해 본다.

3부

해외 출강으로
새로운 길을
개척하다

요르단에서 온
초청 이메일

    하루하루 정신없이 지내던 어느 날 나에게 한 통의 메일이 날아왔다.

    "Jordan에서 메일을 보냅니다."

    처음은 스팸 메일인 줄 알았다. 몇일이 지나 메일을 확인해 보니 해외 출강 문의였다.

    "당신을 Jordan으로 초청합니다. 우리는 요르단에서 케이크 사업을 하는 업체이며, 15개가 넘는 케이크 샵, 카페를 운영하고 있습니다. 당신의 기술을 우리 파티시에들에게 가르쳐 주세요."

    긴 설명이 빼곡히 담긴 메일이 왔고 며칠 뒤에 확인한 나는 답변을 보냈다. 요르단은 너무나도 생소한 나라였고, 아무런 정보가 없었기에 나에게는 조금은 두렵게 다가왔다.

처음부터 흔쾌히 출강 요청을 받아들일 수는 없었다. 네이버를 검색해서 그 나라에 대해 알아보기 시작했다. 간혹 한국인의 여행을 자제하는 국가들이 있기 때문에 출강 역시 그 나라가 안전한 나라인지 사전 조사는 필수였고, 될 수 있으면 많은 정보를 가지고 결정하는 편이다.

아라비아반도의 북쪽에 위치하며 이스라엘, 사우디아라비아와 국경을 맞대고 있는 요르단. 중동 한복판에 있으며 아랍인이 많은 중동 국가 그리고 시리아와 레바논의 옆. 위험한 곳일까? 제일 중요한 치안 부분에 관해 계속 찾아보기 시작했다. 다행히도 안전하여 여행을 가기에는 위험하지는 않다고. 하지만 그 당시만 해도 요르단을 여행으로 가거나 출장으로 가는 사람들은 거의 없었기에 조금 더 찾아봐야 했다.

주 언어는 아랍어, 인구의 반 이상은 영어를 사용하고 이슬람의 특성상 보수적인 문화를 가지고 있지만 이곳은 다른 이슬람 문화보다는 개방적인 곳이었다. 한국보다 물가는 저렴하고 고대 유적이 많고 알라딘과 인디아나 존스의 촬영지? 조금은 신선했다. 영화에서 보던 그런 곳인듯 했다. 사막과 낙타가 많은 곳, 고대 유적의 나라.

혼자 출강을 가는 경우도 있어서 안전이 제일 중요하고 또한 초청하는 분이 어떤 사람인지 잘 알아야 할 필요가 있기 때문에 확인이 필요하다. 지인이라면 상관없지만 이렇게 이메일로 초청 메일이 오면 검증할 수 있는 부분이 적기에 조금 더 확실히 체크하려고 한다. 우선 여러 번의 통화와 페이스톡으로 얼굴을 보고 대화를 하고 그분이 어떤 분인지 확인한다. 어떤 일을 하고 있는지 그분의 현지 사업이 증빙될 만한 정보들을 받고 SNS와 홈페이지에 들어가 보고 실존 기업인지 확인한다.

여러 번 그리고 몇 개월간 얼굴을 보며 대화하다 보면 이분이 정말 이 업계의 사람인지 어느 정도는 감이 오고 알 수 있게 된다.

물론 그게 전부는 아니지만 문화가 다르고 언어가 달라도 세계의 모든 일, 각 나라에서 하는 같은 서비스 직종은 문화적 차이를 제외하면 공통부분이 많기에 어느 정도 이야기를 하면 적어도 이분이 나와 같은 분야에서 일을 하는 사람인지는 알 수 있다. 또한 어떻게 그곳에서 수업을 진행할지 의논하고 출강에 필요한 여러 가지 절차를 확인하고 함께 체크한다.

마지막은 항공권과 예약금을 받는 일이다. 수업이 확정되면 초청한 호스트로부터 항공권과 수업 예약금 그리고 예약 호텔 정보까지 받기에 예약금 입금까지 확인되면 떠날 준비를 해야 한다. 몇 개월에 걸쳐서 그렇게 우리는 해외 출강을 준비했고

나는 보조 선생님과 함께 설레는 마음으로 요르단
으로 향하는 비행기에 올라탔다.

멀고 먼 나라
중동 요르단으로

20시간이 넘는 비행 끝 우리는 요르단에 도착했다. 요르단에 도착하면 운전기사가 오기로 되어 있어서 내리자마자 우리의 이름이 걸린 이름표를 찾기 시작했다. 20시간의 비행 후 정신이 조금 없는 상태로 이름을 찾았고 다행히 오랜 시간이 지나지 않아 운전기사를 만날 수 있었다.

가끔은 운전기사와 공항에서 바로 못 만나거나 엇갈리는 상황이 되면 정말 곤혹스럽다. 새벽에 도착하거나 밤이면 따로 이동도 못 할뿐더러 긴 시간 비행 후 타국에서 또 기다리는 상황이 오면 그만큼 에너지 소비가 더 되기에 그것만큼은 피하고 싶다.

대부분은 우리를 초청한 분이 공항으로 픽업을 오는데 이것 또한 그리 편하지는 않다. 처음 만나는 사이라면 최대한 좋은 이미지로 화장도 하고 단정하게 처음 인사를 나누고 싶지만, 오랜 비행 후 기름지고 다크써클도 많이 내려와 있는 나의 몰골을 보여 주자면 처음부터 민낯을 보여주는 느낌이라 창피하고 찝찝할 수 밖에 없다.

우리는 운전기사를 만나 초청한 호스트를 만나러 이동했고 도착한 시간은 오후 3시쯤이었기에 참 애매한 시간이었다. 밥을 먹기도, 뭘 하기도 참 애매한 그런 시간. 호스트 그리고 그의 남편과 우리는 인사를 나누었고 호스트가 운영하는 몇 개의 카페와 메인 키친을 보여주었다.

비행기를 타고 도착한 첫날은 항상 비몽사몽이기에 정신이 멀쩡할 수 없다. 우리는 간단히 둘러만 보고 첫날은 그렇게 일정을 끝냈고, 두 번째 날은 본격적으로 준비를 하기 위해 다시 메인 키친을 갔다.

첫날에는 늦은 오후 시간에 가서인지 일하는 분들이 많이 없었는데 두 번째 날 가보니 깜짝 놀랄 만큼 너무 많았다. 130명이 넘는 직원들이 메인 주방에서 일을 하고 있었고 자세히 보니 어마어마하게 큰 믹서기와 오븐들이 저마다 디저트를 만들기 위해 열심히 돌아가고 있었다. 또한 130명이 넘는 직원들은 모두 남자였고 유일하게 첫날에 만났던 그 호스트만이 그곳에서 여자였다. 남자 직원들은 아랍지역의 사람들이라 그런지 대부분 키도, 덩치도 크고 진한 눈썹의 또렷한 이목구비를 갖고 있어서 보는 것만으로도 위협감이 들 정도였다.

나와 함께 간 보조 선생님이 나와 있어서 다행이었지 혼자였다면 기가 많이 죽었을 것 같다. 호스트는 130명이 넘는 직원들에게 나를 소개했는데 그중에는 여러 명의 메인 파티시에분들도 있었다. 나는 부끄러웠지만 간단히 인사를 하고는 어색한 웃음을 지었다. 겉으로는 기죽어 보이지 않기 위해

턱을 좀 올리고 애써 당당한 척해 보였지만 사실 좀 무서웠다. 130명의 마초 같은 외국인 남자들 앞에서 내가 서 있을 일이 없었기에 처음으로 위협적인 느낌을 받았다.

그 후로 일주일간의 워크숍을 준비해야 했기에 몇 명의 직원들의 도움을 받아서 수업을 준비했다. 큰 장비들이 있었고, 몇 명의 직원들이 무거운 일이나 힘든 일도 도와줬기에 준비는 빠르고, 어렵지 않게 끝낼 수 있었다. 하루 종일 준비해야 하는 다른 나라에 비하면 아주 수월하게 준비할 수 있었기에 기분 좋은 마음으로 호텔로 돌아갔다.

15명의 무서운
메인 파티시에

 다음날 첫 번째 워크숍이 시작되었다. 15명의 메인 파티시에만 모아서 진행된 워크숍이었다. 어제 본 100명이 넘는 인원이 아니라 다행이었지만 이 15명의 메인 파티시에는 얼굴만 봐도 꽤 스스로 자부심이 넘치는 얼굴이었다.

 대부분은 요르단에서 일을 하고 계시지만 파키스탄, 사우디아라비아, 레바논, 이라크, 네팔 등 여러 나라에서 요르단으로 넘어와 그곳에서 일을 하고 계셨다. 그렇기에 생김새도 모두 다르고 사실 우리에게는 너무 생소한 모습의 외국인이었다. 진한 눈썹에 수염이 많고 무서운 인상의 키 크고 덩치 큰 아랍게 남자들이었다.

전날과는 다른 분위기로 워크숍이 시작되었고, 시작 전 호스트의 소개로 난 한국에서 온 케이크 디자이너라고 떨리는 마음으로 인사를 했다. 하지만 그때부터 그들의 표정은 그다지 좋아 보이지 않았다. 무언가 마음에 들지 않는 표정이랄까? 불만이 가득한 표정이었다.

요르단은 외국인들이 많이 섞여 있고, 대부분의 종교가 이슬람이고 아랍문화이기에 여성에 대한 인식이 우리와 달라 평등하지 않을 수 있다는 개인적인 생각을 하고 있긴 했지만, 그것 때문인지는 전혀 알 수 없었다.

우선 초청을 받았기에 나는 그 자리에서 열심히 가르쳐야 했다. 사실 분위기가 너무 무섭고 다들 불만이 가득 찬 느낌이라 수업 중 너무 무섭고 떨리기도 했지만, 나를 초청한 카페 여사장님은 별로 신경을 안 쓰는듯했고, 나는 내가 15명의 메인 프로 파티시에들 앞에서 결코 기가 죽지 않기 위해서 안간힘을 쓰며 떨리는 손을 부여잡고 마음속으로 멘탈을 몇 번 이고 다시 부여잡고 있었다.

그 당시 나는 경력 2년차가 되어가는 26살 동양인 여자 케이크 디자이너였고 남자 파티시에분들은 적게는 5년 많게는 20년 가까이 되는 경력을 가진 베테랑이었다. 최고령자가 60대가 넘었으니 얼마나 그들에게는 내가 어리고 초보티가 났을까? 가뜩이나 동양인 얼굴은 그들에게 더 젊어 보이기에 나를 고등학생으로 보았을 것이다.

그렇게 워크숍은 긴장감이 도는 무거운 공기 속에서 시작되었고, 나는 여러 가지 시연을 시작으로 버터크림으로 꽃을 짜는 방법을 시연하였다. 시연할 때 어찌나 손이 떨리던지… 나는 컨트롤이 안 될 만큼 떨고 있었다. 표정은 아무렇지 않은 척했지만 사실 너무 긴장되고 무서웠다. 무사히 시연 후에 그들에게 연습할 시간을 주었고, 나는 조심스레 물었다.

"제가 여러분의 손을 잡고 가르쳐 드려도 될까요?"

플라워 케이크 수업 중에는 대부분 수강생분의 손을 잡아주면서 함께 꽃을 만들 수 있도록 지도한다. 그래야 배우는 사람 눈높이에서 조금 더 이해도 잘 되고 교정이 잘되기 때문이다. 하지만 종교가 다른 이곳에는 어려운 부분이었고 특히 모두 남자분들이어서 물어보고 동의를 받고 가르쳐 드려야 했다. 그분들은 아무런 표정 없이 그렇게 하라고 고개만 살짝 끄덕였다. 수업 중에는 호스트가 영어를 아랍어로 통역을 해줘야 했기에 몇몇 분과는 말이 통하지 않았고 그래서인지 더 분위기는 차가웠다. 한 분씩 손을 잡아서 크림으로 꽃을 짜는 방법을 알려드리는데 이미 말했음에도 불구하고 몇 분은 손을 터치할 때 깜짝! 놀라는 모습이었다.

나는 항상 하던 일이니 별다른 생각 없이 가르치는 것에만 집중했고 마지막 케이크를 완성해서 보여드렸는데 그때부터 여기저기 뭐가 마음에 안 들었는지 불만을 표출하는 것 같았다. 아무래도 베테랑들이라 이런저런 얘기를 하는 것 같았는데 알아들을 수 없으니 그냥 귀를 닫고 눈만 동그라니 토끼 눈 뜨고 바라만 봐야 했다. 말이 안 통해도 뭔가 마음에 안 드는구나? 라는 느낌이 들기는 했다.

그렇게 끝날 때까지 그들은 안 좋은 얼굴로 있은 채로 첫 번째 날 워크숍이 끝났다. 영문도 모른 채 난 찝찝하게 워크숍을 끝냈고 보조 선생님과 함께 불안한 마음으로 호텔로 돌아갔다.

여기선
내가 베테랑

 두 번째 날 역시 15명의 파티시에는 좋지 않은 표정으로 워크숍에 참여했다. 마치 끌려온 것 같은 표정으로. 전부 다는 아니었지만, 대부분이 그러했다. 그도 그럴 것이 호스트가 우리를 초청한 이유는 그녀의 지역별 카페에 플라워 케이크를 새로운 메뉴로 넣어서 판매를 하고 싶어서 각 지역 담당의 메인 파티시에분들을 내게 가르치게 한 것이다. 이번 워크숍은 파티시에들이 원해서 배우는 워크숍이 아닌 오너가 주최한 강제 워크숍이었다.

 두 번째 날은 인기 많은 디자인의 하트 케이크

수업이었는데 크림 꽃들을 케이크 위에 올려서 나는 아주 만족스럽게 시연하고 속으로 뿌듯해하고 있었다. 그런데 이 베테랑분들은 배운 대로 하지 않고 여기저기서 마구 자기주장을 하는 게 아닌가? 두 번째 날이라고 이제는 대놓고 무시를 하나?

"이것보다 이렇게 하는 게 더 예쁜 것 같은데?"

"난 이 디자인 별로 마음에 안들어."

그들의 본격적인 불평도 함께 시작되었고, 여기서부터 우리의 기 싸움도 시작되었다. 아무래도 그들은 내가 동양에서 온 여자애인데 나이도 어리고 키도 작고 경력도 별로 없어 보이는 애가 본인들에게 뭘 가르친다는 건지 어이가 없었던 것 같다. 베테랑들의 짬밥이 있지. 나는 사실 속으로 많이 마음이 상하고 기분이 좋지는 않았지만, 한편으로는 기 싸움에서 지기 싫었기에 나의 멘탈을 잘 잡아야 했다. 작은 것이 얼마나 독한지 보여줘야겠군.

'여기서 내가 기 싸움에서 밀리면 나는 끝이야. 이렇게 일주일을 그들에게 끌려다니고 말 거야.'

속으로 이런저런 생각이 들면서 이러면 안 되겠다는 생각이 머리를 스쳤다. 해외를 몇 번 다녀온 나의 출강 이력을 무시할 수 없도록 보여주어야 했다.

그 이후로 나는 버텨야 했다. 이 어른들의 기 싸움에서 나의 주장을 해야 했다. 결코 절대 지지 않아. 그들이 베테랑이라도 이 워크숍 안에서는 내가 베테랑이고 일인자야. 덤비면 다 죽었어.

사실 이전의 여러 번 해외 출강에서 좋고 안 좋은 여러 가지 경험을 했다. 그렇기에 처음에 기가 눌리면 그 후 어떻게 될 거라는 것이 눈에 보이기 시작했고, 이대로 끌려다닐 수 없었다. 결코 나는 쉬운 사람이 되기 싫었고, 나를 어린 여자라고 우습게 보는 이 외국인 남자들 앞에서는 더더욱 싫었다. 그 후로 나는 그분들의 주장에 강력하게 반

박했다.

"나는 이 자리에서는 베테랑이다. 아무도 나에게 덤빌 수 없어. 당신들이 엄청난 경력자라고 해도."

"내 실력을 인정할 수 없다면 내가 끝까지 보여주지."

내 머릿속으로 계속 세뇌였다. 그다음 날은 말투도 표정도 바꿨다. 내가 조금 더 엄격하게 보이도록. 그게 얼마나 잘 통할지는 몰랐으나 배시시 웃지는 않으려고 노력했다. 마치 화난 사람처럼. 또한 그들의 불평을 받아주지 않았다. 그들이 뭔가를 되묻거나 비꼬는 식으로 물어보면 내 생각으로 대답하고 그 질문이 어처구니없을 때는 못 들은 척 내 말만 했다.

그렇게 다음날 워크숍도 나는 또 그렇게 웃지도 않은 채 심각하게 그들에게 기술만 가르쳤다. 그들에게 무시당하지 않기 위해 나의 실력을 보여줘야 했고, 내가 아는 범위 내에서, 내가 아는 경험

이내에서 나는 최선을 다해 그들에게 아낌없이 가
르쳤다.

 그 후 분위기는 조금씩 달라지기 시작했다. 조금
은 무거운 듯했지만, 처음처럼 빈정대거나 불평하
지는 않았다.

 그사이 나와 함께 온 보조 선생님은 그 기 싸움
속에서 차가운 분위기를 조금이나마 풀어보고자
그들이 크림 꽃 파이핑 연습을 할 때 옆으로 가서

조금씩 말을 걸며 말장난을 치기 시작했다.

"OMG. This flower is too ugly. You should do it again. I'm sorry but definitely, She won't be happy with your flower. HA HA."

("어머나, 이 꽃은 너무 못생겼어요. 다시 하셔야 해요. 죄송하지만 루시아는 당신의 꽃을 분명히 좋아하지 않을 거예요. 하하하.")

보조 선생님은 외국 분이셨고 또 유쾌한 분이었다. 수강생으로 만나 인연이 된 그분은 그 당시 나에게 유일하게 힘이 되어주시는 분이셨기에 너무나도 의지를 많이 했다.

그분은 수업의 분위기가 삭막해지자 본인의 방법으로 메인 파티시에분들에게 장난을 치며 분위기를 조금 띄워보고자 했던 것이었다. 나는 그것을 알았지만, 분위기상 나까지 그렇게 할 수는 없었다. 그들과 난 열심히 기 싸움 중이었기 때문에 표정 관리를 해야 했다.

그렇게 다음 날이 되었고 분위기는 조금씩 달라졌다. 날카로웠던 메인 파티시에들의 눈이 조금은 힘이 풀리고 선한 눈으로 바뀌었다. 또한 나의 말에 경청해 주었다. 내가 원하는 방향으로 잘 따라와 주시고 처음과 같이 "이거 마음에 안 들어. 난 이렇게 안 할 거야"가 아니라 "이 부분은 어떻게 생각하시나요?", "조언을 해주시겠어요?"라는 방식으로 표현이 확실히 바뀐 것이다. 참 놀라웠다. 공격적이지 않고 굉장히 나이스하게 그분들은 바뀌셨고, 그렇게 나는 이 기 싸움에서 승리를 확신했다.

또한 그들은 점점 플라워 케이크의 매력에 빠지신 듯했고, 서로서로가 경쟁하듯 누가 더 잘하나 손들며 나에게 체크해달라고 웃으며 요청했다. 그분들의 케이크를 만들며 점점 행복해하셨다. 나는 그 모습에 너무나도 기분이 좋았다. 그들은 가지고 있는 기술이 아닌, 내가 가지고 있는 기술에 점점 집중해 주셨고, 결국 나의 실력을 인정해 주셨다. 그러고는 내가 기술을 가르쳐 준 것에 고마워하셨다. 또한 이 조그마한 동양 여자애가 경력이 부족할지 몰라도 아는 모든 것을 진심으로 알려주려고 했다는 것을 그들은 그 며칠 동안 느낀 것 같다.

내가 애쓰는 것과 그리고 가르치는 것의 진심이라는 것, 그것을 알아준 것 같아 정말 고마웠고 베테랑들이 실력으로 날 인정해 주었을 때 그 뿌듯함은 잊을 수가 없다.

웃긴
동양 여자애들

처음에는 보조 선생님이 그분들에게 말을 걸고 말장난을 시작할 때 메인 파티쉐분들이 많이 당황했었다. 하지만 그다음에는 너무나도 재밌게 함께 장난치는 게 아닌가?

나중에 호스트를 통해 안 사실은 아랍에는 대부분이 이슬람 종교이기 때문에 그 종교에서는 친하지 않은 잘 모르는 이성간에는 장난을 치는 것이 일반적이지 않다고 한다. 그것은 서로에 대한 예의가 아니고 종교에서는 금기 사항인 듯하다. 또한 이들은 이성 간의 만남이 시작되면 가족들의 허락을 받고 그다음 약혼을 먼저 한 뒤 만나면서 서로를 알아가는 것이지, 우리처럼 "썸을 타다"라는 개념도 없다고 한다. 그러니 이 메인 파티시에들 입장에서는 동양에서 온 키 작은 어린 여자애가 이렇게 이성한테 서슴없이 장난을 치는 것이 꽤 어이없고 황당했단다.

하지만 외국인이기에 이것이 통할 수 있었다. 긴장된 워크숍의 분위기 속에서 우리 보조 선생님은 최선을 다해 장난을 치며 분위기를 살렸고, 그 덕분에 모두에게서 웃음꽃이 피어나기 시작했다.

그분들 또한 항상 일만 하는 분위기 속에 그 워크숍이 재미있어졌는지 차가웠던 분위기가 어느새 여기저기서 깔깔깔거리며 분위기가 바뀌었다. 그렇게 우리는 이런저런 이야기를 하며 친구가 되었다.

결국은 멋지고 달콤하게 빛날 거야

진심은 통하는 법,
따뜻한 경험

　그 후로 3일 동안 워크숍을 더 진행했는데 그 시
간은 그렇게 재밌고 행복할 수 없었다. 쉐프들도
하나같이 기대에 차서 워크숍을 참여했고, 나와 보
조 선생님 또한 오늘은 무슨 재미있는 일이 있을
까? 기대하며 워크숍을 진행했다. 마지막 이틀이
남았을 때는 그분들과 함께 SNS도 공유하고 서로
의 문화와 생각들도 교류하며 많은 이야기를 나누
며 너무나도 재미있게 그들의 문화도 배우고 재미
있는 시간을 보냈다.

　마지막 날 우리는 함께 단체 사진도 찍고 몇몇 쉐
프들과 재미있는 사진도 추억으로 남겼다. 몇 분들

은 그분들 나라의 특별한 선물을 우리에게 주셨다. 한 파키스탄 쉐프가 준 머리에 쓰는 두건, 터번은 아직도 잘 간직하고 있다. 패턴이 나라별로 다른 그 터번은 사막에 가서 사진을 찍을 때마다 잘 애용하고 있다. 또한 그분들은 이러한 기술을 알려줘서 너무나도 고맙다고, 워크숍이 재미있었고 유익한 시간이었다며 칭찬도 아끼지 않으셨다.

마지막 날은 우리 모두에게 너무나도 아쉬웠고 그 순간들이 행복했고 좋은 추억이 되었다. 우리는 모두가 친구가 되었고 계속 연락하자는 말을 남기고 어느덧 7년이 지난 지금도 요르단의 쉐프들과 SNS로 활발하게 서로의 피드에 '좋아요'를 누르고 가끔 하트 코멘트를 남기며 그렇게 지내고 있다.

나에게는 너무나도 잊지 못할 추억이 되었다. 처음에는 힘들었지만 잘 견뎌냈고, 흔들리지 않으려고 노력했다. 나 자신을 믿고 그렇게 밀고 나갔다.

그들은 결국 나를 실력으로 인정해 주었고, 나 또한 그들에게 베테랑의 마인드와 그들의 문화 그리고 그들의 삶을 배웠다.

  또한 나는 진심은 어디서든 통한다는 말을 믿는다. 언어가 통하지 않을지라도 진실한 마음으로 상대를 대한다면 그들 역시 나를 진심으로 봐주고 대해 줄 것이다. 이렇게 워크숍을 통해서 사람들을 만나고, 또 많은 것들을 배우고 경험한다. 나의 경험은 단단해지며, 마음은 더 풍성해지고 나의 가슴은 더욱 따뜻해진다.

결국은 멋지고 달콤하게 빛날 거야

UAE 아부다비, 두바이
(Abu dhabi, Dubai)를 가다

2016년 처음으로 아부다비에서 연락이 왔다.
"당신을 초청하고 싶어요. 아부다비, 두바이에서
수업을 진행해 주세요."

중동 국가의 첫 출강은 아랍에미리트의 수도 아

부다비였다. 이 나라의 첫 느낌은 굉장히 신선했다. 나라 전체가 굉장히 럭셔리한 느낌. 석유 부자 나라의 느낌이 공항에서부터 느껴졌다.

공항을 나가자마자 뜨거운 해가 나를 반겨주었다. 운전사를 만나서 호텔로 이동하였고 이동한 호텔 스위트 룸에서 묵게 되었다. 나는 생각했다. 역시 여긴 클래스가 다르군.

그 당시 두 명의 현지 호스트는 아랍인이었고 그들은 '아바야'라는 검은색으로 얼굴을 제외한 모든 곳을 가리고 있는 이슬람 여성들의 의복을 착용하고 있었다. 남자들이 입는 옷은 반대로 하얀색 '칸두라'라고 하는데 아랍인들은 이 아바야와 칸두라를 꼭 입고 외출하기 때문에 어느 장소에서나 블랙과 화이트로 물들어 있었다. 이런 모습을 실제로는 처음 봤기에 너무나도 신기했고 단일화된 의상들이 조금은 무서운 마음이 들었다.

아랍 사람들은 굉장히 뚜렷한 이목구비를 가지고

있었다. 눈도 크고 코도 높고 대부분이 너무 예쁘고 멋진 얼굴을 자랑했다. 모든 것이 신기하고 궁금했으나 일을 시작해야 했기에 호스트들과 인사를 하고 수업 장소를 안내받았다.

그 당시 그들은 그 호텔의 콘퍼런스 장, 즉 회의실을 빌려서 워크숍을 진행하도록 예약을 해 두었고, 호텔의 지하에 있는 메인 주방 중 한 부분을 빌려서 우리가 수업을 준비할 수 있게 도와주었다. 준비를 요청한 재료들과 장소를 알려주고 호스트들은 메인 주방에 있던 페스츄리 쉐프 두 분을 우리에게 소개해 주고 바로 떠나 버렸다.

해외 출강 시 나와 함께 가는 보조 선생님도 있지만 단기간 준비해야 할 것이 많기에 항상 더 많은 인원을 현지에서 요청하고 있다. 대부분은 호스트와 호스트의 보조 선생님들이 함께 우리와 준비를 해준다. 하지만 이번에는 그렇게 인사만 시키고 호스트는 할 일이 있다며 떠나 버려서 조금은 황당하고 어이가 없었다. 그 두 분의 파티시에분들은 호텔의 디저트를 담당하는 분들이었고, 그분들은 호텔에 나가야 할 디저트나 페스츄리를 만들고 계셨다. 사실상 호스트들은 호텔 주방의 일부분을 우리를 위해서 빌려두었고 두 쉐프에게 우리가 필요한 재료나 도구를 챙겨주라고 말만 해둔 것이었다.

다행히도 두 쉐프분들은 우리가 필요한 것들을 찾아주었고 특별한 문제 없이 준비를 해나갈 수 있었지만 정작 그분들은 본인의 일이 있기 때문에 우리를 도와 줄 수는 없었다. 호텔 일이 우선이

었기에 나 또한 도와달라 할 수 없는 상황이었고, 호스트는 그냥 가버렸고 지하라 전화도 잘 안되는 상황이었기에 단둘이 모든 재료를 준비할 수밖에 없었다.

낯선 장소에서 낯선 사람들과 함께 일을 하게 되는 것은 굉장히 불편한 일이긴 하다. 초청해 준 호스트가 같은 공간에서 전적으로 도와준다면 괜찮지만, 간혹 이렇게 고용주처럼 행동하는 경우도 많다. 각 나라에 따라 다르고 개개인에 따라 다르기에 피곤한 상황을 직면해야 할 때가 많다.

나와 나의 보조 선생님은 6일의 수업을 위해 이틀 동안 100인분 가까이 되는 버터크림을 모두 만들어야 했고, 아랍 호스트에게 도움이 필요하다고 말은 했지만, 그녀는 그 쉐프들이 도와줄 거라는 말만 하고는 그렇게 다시 사라져 버렸다. 약속한 수업은 진행해야 했기에, 결국은 도움을 포기하고 준비하며 우리는 그 쉐프들과 많은 얘기를 하며 조금 더 도움을 받으려 노력했다.

그렇게 고된 이틀의 수업 준비기간이 끝나고, 수업이 시작되었다. 첫 수업 너무 긴장되었지만, 더욱더 나를 긴장하게 했던 것은 그 검은색 옷 아바야를 입은 사람들이었다. 15명의 수강생분과 또 아랍 통역사 그리고 호스트들 등 20명 가까이 되는 우리를 제외한 모든 사람이 아바야를 입고 있었기에 그런 환경이 익숙하지 않던 그 분위기가 너무나도 위협적일 수밖에 없었다.

처음 본 그들의 표정은 웃는 얼굴은 아닌, 무표정에 가까운 표정을 하고는 수업을 들으러 왔고 그때의 긴장감을 잊을 수 없다. 그들의 검은색 아바야를 자세히 보니 모두 다른 디자인으로 된 아바야를 입고 있었는데 그것도 디자인마다 옷값이 천차만별이라 하더라. 또한 대부분의 여인은 명품 가방을 들고 수업을 들으러 왔다. 들은 바와 같이 다들 부자구나 생각했다.

그렇게 수업은 긴장 속에 시작되었고 무서운 분위기 속에 웃으려고 노력했다. 처음에는 생각보다 조용한 수업이었다. 그녀들은 질문도 하지 않고 조용히 수업을 들었고 내가 질문이 있냐고 물어보면 그냥 조용히 웃음으로 답했다.

한창 수업 도중 그녀들은 검은 옷 아바야를 벗기 시작했고, 그 안에는 평범한 일상복을 한 여인이 있었다. 아바야를 벗고 보니 대부분 너무나도 예쁜 얼굴이었다. 그분들은 예의 있게, 그리고 여유 있게 행동했고, 급한 구석이 하나도 없고 웃을 때는 우아하게 웃었다. 누구 하나 불평하지 않고 수업을 굉장히 잘 따라와 줬다.

처음 느껴보는 수업 분위기였다. 사람들이 이렇게 여유 있어 보이다니…. 한번은 수업 중 남자 호텔 매니저가 잠시 룸으로 들어온 적이 있는데, 그걸 본 수강생들은 다시 천천히 아바야를 입기 시작했다. 남자가 없을 때는 편하게 아바야를 벗고 남자가 한 공간에 있을 때는 머리까지 가려야 한다고 한다.

또한 아랍에서는 하루 5번 정도 모스크에서 경전 소리가 들리는데 기도해야 할 때를 알리는 소리라고 한다. 점심 이후에는 모든 수강생분이 챙겨온 양탄자 같은 것을 깔아서 한쪽 구석에서 본인만의 기도를 드렸다. 너무나도 새롭고 신기한 문화였다.

하루가 지나고 다음 날이 되었다. 아침 일찍 7시에 호텔 주방으로 가서 수업 준비를 마치고 8시 반쯤 콘퍼런스장으로 올라갔다. 그리고 너무나도 황당한 일이 벌어졌다. 수업을 위해 깨끗이 준비되어 있어야 할 룸이 어제 수업 이후의 상태 그대로 치워지지 않은 더러운 채로 방치되어 있었다. 케이크 수업을 하고 나면 설거지할 것도 많은 데다 크림은 이리저리 다 책상에 묻어있고 상상할 수 없을 정도로 치울 것이 많다. 보통은 호스트와 함께 치우기도 하지만, 이번에는 그럴 상황이 아니었기에 부탁을 해 둔 상황이었다.

당장 수업 시간인데 이게 무슨 일이지? 단 한 번도 이런 상황은 없었기에 너무나도 당황스러웠고 혹시라도 수강생들이 문을 열고 들어올까 봐 두려웠다. 지난밤 분명히 나는 호스트들에게 이 공간을 깨끗이 치워달라고 전달했고 그들은 걱정하지 말라며 나를 호텔 방으로 보냈다. 8시 30분 정확히 수업이 30분 남겨둔 채로 나는 그 모습을 보았고 황당한 나머지 호스트에게 전화를 걸었다. 그리고 그 상황을 설명했고 호스트는 여유 있게 걱정하지 말라며 기다리라고 했다.

15분 뒤 호텔의 직원들과 호스트는 함께 룸으로 들어왔고 호스트는 직원들에게 일을 시키기 시작했다. 나와 보조 선생님은 그들이 오기 전 급한 마음에 이리저리 정리하고 치우고 있었던 찰나였다. 호스트는 나에게 말했다.

"루시아, 이것을 왜 치우고 있어요? 당신은 치우지 않아도 돼요. 저 직원들이 모두 치울 거니 손대지 말아요."

나는 너무 황당했고 곧 수강생이 올 거라며 시간이 없으니 같이 치우자고 말했다. 하지만 그녀는 "그건 우리 일이 아니에요. 저분들의 일이니 그냥 둬요"라며 나에게 말했다. 나는 이해할 수 없었고, 수강생들은 한분 한분 룸으로 들어오기 시작했다.

어떻게 이렇게 준비 안 된 모습을 보여줄 수 있지? 한국에서는 당연히 수업 전 모든 준비를 해놓고 수강생들을 맞이하는데 그곳에서 그렇게 하지 못했기에 너무나 창피하고 망신스러웠다. 하지만 호스트들은 전혀 신경 쓰지 않았고 그들은 그냥 서서 호텔 직원들이 일하는 것을 지켜만 보았다. 또한 수강생들도 그 상황의 그리 충격을 받은 것 같지는 않았다. 다른 나라나 한국만 같았어도 항의가 들어왔을 텐데 말이다. 수강생들은 담담히 룸으로 들어왔고 호스트는 그들에게 말했다.

"아침에 와보니 호텔 직원들이 일을 안 했어요. 그러니 치울 때까지 조금만 기다리세요."

놀라웠던 것은 호스트의 태도이기도 했다. 그녀는 그렇게 당당하게 말하고 아무런 죄책감과 미안함은 없었다. 또한 수강생이 들어와도 그녀는 손끝 하나 치우려고 하지 않았고 그냥 서 있었다. 이해는 할 수 없었지만, 한편으로는 내가 너무 심하게 걱정한 건가 생각이 들기도 했다.

며칠 동안 그곳에서 호스트와 통역사, 그리고 일하는 직원들과 대화를 통해 알게 된 사실은 이곳에 있는 현지 아랍에미리트 시민은 총인구의 11%밖에 되지 않고 대부분 사람은 이주하거나 외국인 노동자라고 한다.

호스트, 수강생들을 제외한 내가 만났던 분들은 파키스탄, 레바논, 사우디아라비아, 모로코, 방글라데시, 필리핀, 쿠웨이트, 이란, 인도, 네팔 등 여러 국가에서 일하러 온 사람들이 많았다. 그만큼 일하는 외국 사람들이 아랍의 89%를 차지하고 있다고 한다.

그리하여 현지 아랍에미리트 시민은 사업체를 운영하는 사장님들이 대부분이고, 직원들은 모두 다른 나라에서 온 사람들이다. 대부분의 아랍인들은 부유한 만큼 사업자가 많기 때문에 대개 일을 본인들이 직접 하지 않고 지시하는 입장에 있다. 여러 번 아랍의 다른 호스트들과도 일을 해보았지만, 난 단 한 번도 그들이 손 걷어 직접 일하는 것을 본 적이 없다. 그들은 항상 여유 있고 자신만만한 표정의 사장님이었다. 물론 그들도 아빠로서 또 엄마로서 집안에서는 일을 하겠지만 밖에서는 그렇지 않은 것 같다. 황당하기도 했지만, 그것이 그들이 사는 방식이라면 받아들여야 하는 것이니….

반면 그곳에서 알게 된 친구들은 나에게 말해주었다. 아부다비나 두바이에서 일하러 오는 사람들은 가족들과 떨어져 사는 경우도 많은데 그만큼 급여가 조금 더 높다 보니 일을 하며 가족들에게 돈을 보내고 있다고 한다. 그리고 또한 부유한 아랍인들은 운전사나 경호원과 함께 지내는데, 함께 일하는 이들이 지낼 수 있는 장소도 함께 마련해주며 일 년에 한두 번은 가족들을 보러 갈 수 있도록 경비를 대주기도 한다. 물론 현지인의 경제 상황에 따라 다르긴 하겠지만 말이다.

대부분 외국인은 그렇게 열심히 아부다비, 두바이에서 일하고 있었다. 아들이 보고 싶어도 참으며 일하는 인도 아빠, 딸이 보고 싶어도 참고 일하는 네팔에서 온 엄마. 사회 계층이 너무나도 선명하게 극한 차이를 두고 있는 이 나라에서 우리나라와는 너무나도 큰 문화차이를 다시 한번 느꼈다.

전체적으로 중산층이 많은 우리나라가 어쩌면 적어도 지금은 이 나라보다는 더 평등할 수 있겠다는 생각도 잠시 했다. 하지만 그렇다고 이 현지 시민들이 걱정이 없는 것은 아니었다. 한번은 호스트와 얘기를 나누던 중 호스트는 이런 얘기를 해준 적이 있다.

우리는 관리자로서 일을 한다. 하지만 한편으로 걱정인 것은 우리 현지인은 우리나라 인구의 11% 밖에 안 되기에 점점 인구가 줄고 있어서 외국인들이 더 많아질까 그게 두렵다. 나라를 위협할 수 있는 문제이기도 하니까. 한국도 마찬가지이고 출산율이 줄어드는 것은 어디나 지금 똑같은 문제겠지만, 아랍에미리트의 시민은 110만 명에 불과하다. 한국의 5,000만 명에 비하면 너무나도 적은 숫자

임은 확실하다.

해외 출강을 하게 되면 많은 경험을 하게 된다. 일 뿐만이 아닌 그들의 문화와 삶을 직접적으로 보고 느끼고 대화하고 그것을 통해 세상을 배운다. 그 세상을 통해 우리나라의 문화를 다시 본다. 조금 더 객관화된 시각으로 우리를 볼 수 있게 된다.

며칠간의 수업은 겨우 잘 마무리되었지만, 호스트의 전적인 도움이 없어서 정말 힘들었다. 도움이 없다기보다 그들은 손을 걷어 직접 일을 도와주지는 않기에 거의 모든 일을 보조 선생님과 직원들의 도움을 받아서 마무리하고 돌아왔다. 타지에서는 내 옆에 있는 사람이 나에게 너무나도 힘이 된다. 항상 그분들과 함께할 수 있음에 감사하다.

Thank you.
감사합니다.
شكرا
Lucia cake in Abu Dhabi.
2016.11.15
- Ji.

결국은 멋지고 달콤하게 빛날 거야

중국에서의
웃픈 헤프닝

  코로나 이전에 1년 반 정도 중국 선전에 있는 한 베이킹 스쿨과 계약을 하여 일을 한 적이 있다. 2~3개월에 한 번씩 출장을 가서 6일 동안 그 학교의 학생들에게 플라워 케이크를 가르치는 과정이었다.

  출장을 간지 몇 번째 안 되었을 때 황당한 일을 겪은 적이 있다. 수업 3일째 되던 날 갑자기 학교로 중국 경찰 두 명이 클래스 안으로 들어왔다. 그렇게 우리 수업은 잠시 중단되었고 다시 학교의 관리자들은 경찰들과 무언가 말하기 시작했다.

  문제는 당시 그 베이킹 스쿨의 경쟁 업체가 있는

데 그곳에서 우리를 신고했다는 것이다. 그 이유는 한국 선생님 두 명이 워킹비자, 즉 취업비자 없이 중국으로 들어와서 일을 한다는 신고를 받았다는 것이다. 해외에 나갈 때는 비자가 굉장히 중요하기도 하다.

우리는 일로써 출강을 나갔기 때문에 취업비자를 받아서 나간 상태였는데 상대 업체에서는 경쟁심에 신고한 것이다. 경찰은 자세한 여권과 비자를 확인하기 위해 동행해 달라고 하였고, 수업 중이었는데도 불구하고 우리는 경찰을 따라나서야 했다. 수업은 베이킹 스쿨에 있던 두 명의 보조 선생님들에게 맡기고 수강생분들에게는 양해를 구한 후 다녀올 수밖에 없었다.

그렇게 나는 학교의 관리자와 나의 보조 선생님과 함께 한국에서도 안 가본 경찰서를 중국에서 갔고 그렇게 우리는 조사받았다. 여권과 비자가 모두 확인되고 우리는 다시 수업하러 돌아갈 수 있었고,

다행히 수업은 잘 끝났으나 그날 일은 웃픈 헤프닝으로 마무리되었다.

어디를 가나 경쟁은 어쩔 수 없나 보다. 아시아권에서는 이런 일이 간혹 발생한다고 들었는데 나 또한 이런 경험을 하게 되어 유감이었다. 다시는 이런 황당한 일이 없기를 바란다.

미국 LA_
내 생의 가장 예쁜 케이크

한번은 미국 L.A로 출강을 다녀온 적이 있었다. 20대에 LA에서의 유학 생활을 허무하게 청산하고 왔기에 나에게는 꿈을 이룬 것 같던 수업이었다. 30대가 되어 20대의 못 이룬 꿈을 이룬 느낌이었기에 설레고 또 너무 행복해서 수업에 가는 날까지 그렇게 떨려본 건 손에 꼽는다.

살기 힘들었던 20대, 능력이 없어 제대로 된 일도 찾지 못했던 20대를 지나 30대에 이렇게 낭당하게 미국에서 초청받아서 강의하는 강사로 성장할 줄은 20대에는 꿈에도 몰랐다. 지금 나는 제2의 인생을 살고 있다는 것은 분명하다.

그렇게 행복한 수업을 이어 가는 중 두 번째 날 중년의 미국 수강생분을 만났다. 미국은 젊은 분뿐 아니라 50에서 70대 사이의 중년 여성이 케이크 디자인 수업을 많이 들으러 오신다. 미국의 문화에는 어릴 때부터 할머니나 엄마가 집에서 구워주는 케이크, 그리고 결혼식에는 꼭 웨딩케이크가 필요한 케이크의 문화가 있기에 예쁜 케이크에 많은 관심이 있다.

그렇게 금발과 백발이 섞인 예쁜 금백발색의 중년 여성 크리스틴이 수업을 참여해 주셨는데 수업 내내 집중해 주시는 모습이 보기 좋았고 그 모습이 너무 예뻐 보였다. 수업이 중간쯤 진행되었을 때 모두가 꽃 버터크림을 만들고 계셨고, 나는 정신없이 클래스 룸을 돌아다니며 한 분씩 체크하며 그분에게 다가갔다. 그분은 나에게 수업은 오래전부터 듣고 싶었고, 이번 수업은 딸이 생일선물로 수업을 등록해 주었다고 하셨다. 그래서 수업 내내 행복한 표정으로 수업을 즐기고 계셨다.

경험으로 알게 된 사실은 서양에서와 아시아에서의 수업에는 차이점이 있다. 서양권에 출강을 가게 되면 그들은 즐겁게 수업을 받아들이고 서로 얘기도 하고 또 기쁜 마음으로 수업을 들으신다. 가끔은 수업 중 노래도 부르고 춤도 추며 수업을 진심으로 즐기고 행복해하는 모습을 많이 본다.

반면에 아시아로 출강을 나가게 되면 대부분이 진지하고 심각하게 수업을 받아들이고 마치 풀어야 할 숙제처럼 수업에 참여하기도 한다. 또한 완벽하게 선생님처럼 하려고 노력하다가 안 되면 많은 분이 스트레스를 받곤 한다. 이것 또한 문화의 차이일까?

경쟁이 심한 아시아에서는 무언가를 할 때는 잘해야 하고 또 완벽하게 해내야 한다는 압박이 있고 서양에서는 경쟁의 개념이 아닌 자기 자신에게 더 집중하여 즐기는 것이 많기에 수업 중 받아들이는 것에서 조금 다르게 보이는 것은 사실이다. 물론 개개인의 성향에 따라 다르긴 하지만 나의 경험상으로는 달랐다.

마무리하는 수업 과정에서 다시 크리스틴에게 다가갔고 그녀는 빠르게 그녀의 꽃 크림을 모두 케이크 위에 올렸는데, 내가 보여드린 것과는 너무 다른 느낌이었다. 내가 다가가니 그녀가 말을 걸어왔다.

"루시아, 내 꽃은 너의 꽃처럼 아름답지 않아. 내 꽃은 엉망이지. 그런데 난 이 꽃이 너무 좋아. 그리고 난 너의 수업을 듣고 이 꽃 케이크를 내 손으로 직접 만들 수 있어서 지금 나는 너무 행복해."

사실 나는 그녀의 말을 듣기 전 속으로 생각하고 있었다. '저 케이크를 어떻게 고쳐 드리지? 어떻게 예쁘게 손을 봐 드리지?' 하며 생각하고 있었다.

"너 그거 아니? 나에게 이 케이크는 내 인생에서 가장 예쁜 케이크야. 나는 내 케이크가 너무나도 만족스러워. 그리고 지금 난 너무 행복해. 너에게 정말 고마워."

그렇게 말하고 그녀는 정말 행복한 표정을 지었다.

간혹 수업하다 보면 말로는 할 수 없지만 나만의 기준으로 "저건 너무 안 예쁜데"라고 생각할 때가 있었고, 내 눈으로 예뻐 보이지 않으면 수강생들도 좋아하지 않을 거라고 생각했다. 나는 그분의 케이크를 수정해주고 싶어서 다가갔지만, 그 말을 듣고 머뭇거릴 수밖에 없었다. 나의 기준도 중요하지만, 나의 기준을 수강생에게 강요하는 것은 맞는 것이 아니라는 생각에 잠시 할 말을 잃었고, 그 짧은 시간 깊은 생각에 빠졌다.

결국 나는 가르침과 조언을 해주되, 수강생이 그 케이크를 만족해하고 행복하다면 그것으로 나 또한 만족하기로 마음을 먹었고 나는 그녀에게 말했다.

"당신이 이 케이크에 만족하고 행복하다면 저 역시 기쁘고 행복해요. 오늘 아주 멋지게 잘하셨어요."

가르치는 입장이라 이 수업 안에서는 꼭 내가 의도한 것으로 따라야 한다고 생각하고 있었던 것은 사실이다. 좋은 결과물 그리고 나와 같은 결과물을 만들어 내야 수강생분들의 만족도가 더 좋지 않을까 생각했고, 수강생분들도 배우러 왔으니 당연히 내 스타일 그대로 배우고 싶어할 거라고 생각도 해왔다.

하지만 가끔은 이렇게 신선하게 나에게 깨달음을 주는 분들을 만날 때도 있다. 세상은 나의 기준으로 살아가지만 언제나 그것이 정답 아니라는 듯 가르치는 입장이어도 가끔은 나의 기준을 내려놓고 다른 사람의 기준도 존중해야 할 줄 알아야 한다는 것도 이 수업을 통해 알게 되었다. 결국 그녀의 케이크는 나의 기준이 아닌 그녀의 만족과 행복으로 완성되었다.

"대부분의 사람은 마음먹은 만큼 행복하다"라는 에이브러햄 링컨의 말도 있듯이 행복은 마음먹기에 달렸단 것을, 그녀를 통해 알게 되었다. 그녀는 그 시간 케이크로 충분히 행복해했다. 그리고 그 행복은 나를 그리고 주위의 모든 사람을 기쁘고 행복하게 만들었다.

결국은 멋지고 달콤하게 빛날 거야

4부

일 그리고 여행,
해외 출강의
길을 향해

무한 경쟁사회 속
나의 자리는 있을까?

　무한 경쟁 속 처음 일을 시작했을 때 시키지도 않은 경쟁을 하고 많은 것들을 걱정하며 스트레스를 받았다. 어떤 트렌드에서 벗어나면 마치 낙오자가 되는 것 같았고, 남들만큼 하지 못하면 실패한 것 같았다.

　나의 길에 확신이 없어 남들과 같은 길에서 치열하게 살아남으려고 노력했고, 나를 무시했던 지인들에게 복수심으로 더 열심히 해서 그들보다 잘 되고 싶었다. 그렇게 처음 시작은 그들에게 최고의 복수를 하기 위해 열심히 일하고 달렸다. 또한 트렌드에 뒤처지지 않고 나만의 것을 만들기 위해서 쉬지 않고 앞에 보이는 일만 했던 것 같다. 그때는 나만의 독기가 있었다.

하지만 그렇게 달리고 달리다 아무것도 하기 싫어질 때가 찾아왔다. 누군가에게 쫓겨 달리고 있는 기분이랄까? 멈추고 싶은데 방법을 몰랐고, 또 스스로 멈출 수 없었다. 그렇게 나는 쉬지 않고 달리며 지쳐가고 있었다.

조금 한가해지기 시작할 때쯤에는 불안감에 떨어야 했다. 무언가 하지 않으면 안 된다는 스스로의 압박에 언제나 불안에 떨며 무언가를 더 하려고 노력했다. 어느 순간 나 자신은 스스로를 쉬지 못하게 경쟁으로 떠밀어 넣고 있었다.

왠지 모르게 자꾸 불안하고 초조한 마음으로 쉬지 않고 일을 했고, 각박한 한국의 경쟁 가득한 삶이 나의 삶 속에도 고스란히 아주 잘 적용되고 있었다. 나 스스로를 다람쥐 쳇바퀴 속으로 집어넣기를 수백 번, 수천 번을 하였고, 치열한 경쟁의 굴레

속에서 살아남고 또 남에게 인정받고 싶어서, 내가 무엇을 위해 일하는지도 모른 채 그렇게 몇 년을 그렇게 지낸 것 같다.

　이 무한 경쟁사회 속 나의 자리는 있는 걸까? 20대에는 이런 생각의 굴레에 빠져 헤어나오지 못했다. 내 눈앞의 사회가 전부라고 생각했고, 그것만이 내가 이겨내야 할 과제라고 생각했다. 하지만 아무리 내 자리를 찾으려고 해도 찾을 수 없었다. 내가 만들어 놓은 작은 사회에 내가 열심히 쌓아 올린 모래성은 그렇게 파도에 휩쓸리며 떠내려가기를 반복하고 있었다.

나만의
시너지 효과를 찾아서

처음 출강을 계획했을 때 한 해외의 파트너가 나에게 직접 영어로 수업을 해보라고 말했다. 개인 수업에는 부담이 없었으나 서툰 영어로 10명이 넘는 수강생들 앞에서 수업을 영어로 하기에는 매우 큰 부담감이 있었다. 처음에는 자신이 없었지만, 그 파트너는 나에게 제안했다.

"너는 좋은 기술을 가졌고 또 영어도 할 수 있으니 굉장한 시너지 효과가 있을 거야. 이 업계에서는 너와 같이 두 가지 실력을 갖추고 있는 사람은 없어. 한번 해보는 게 어때?"

나에게 제안하였고 여러 번 생각을 한 뒤 나는 그

렇게 해보기로 결심했다. 처음 해외 수업에 통역이 없이 갔던 건 무모했지만, 나에게는 큰 도전이었다. 나는 원어민이 아니었고, 영어 선생님이 아니었기에 완벽한 영어를 구사할 수는 없었지만 이렇게 스스로 생각하며 주문을 걸었다.

"내가 영어를 완벽하게 했으면 영어 선생님을 하지 왜 케이크 디자이너를 하고 있겠어? 나는 내가 할 수 있는 만큼만 하면 돼. 대신 당당하게."

나는 그렇게 나 자신을 믿고 합리화했고, 조금은 걱정이 되었지만, 그 당시 그렇게 할 수 있는 사람이 없었기에 나는 그 시장에 뛰어들었고 그렇게 나는 해외에서 경험과 노력으로 성장할 수 있었다.

한국의 좋은 기술을 가지고 있는 사람 그리고 영어도 함께 할 수 있는 사람.

나의 걱정과는 다르게 수강생분들은 나와 직접 대화하며 궁금한 것도 물어볼 수 있었고, 서로에 대해 더 많이 알고, 또 서로의 문화 공유도 가능했기에 너무나도 좋아했다. 나 또한 그들과 함께 영어로 대화하며 연습했고 더 많은 표현을 익히며 가르칠 수 있었다. 그리고 진심으로 그분들한테 기술을 전수하려고 노력했고 그것이 시간은 걸렸지만 통했다.

그렇게 나만의 해외 시장이 만들어졌다. 몇 년이 지나고 보니 나는 이 업계에서 지지 않는 해외 출강의 이력을 가지고 있었다. 해외 시장에서도 소문의 소문을 타고, 지인이 지인을 추천하여 그렇게 나는 해외시장에서 우뚝 설 수 있게 되었다. 이제는 미국의 최초 케이크 페어와 매거진에 당당히 초청받으며 미국의 100명이 넘는 사람들 앞에서도 내 기술을 가르칠 수 있게 되었다. 그렇기에 해외 출강의 이력과 경험은 누구에게도 뒤지지 않는 내가 되었다. 또한 그로 인하여 나는 누구도 겪지 못한 수많은 경험을 했고 또 배워서 지금 나만의 노하우가 생겼다. 이제는 나만의 브랜드가 있고 나만의 노하우가 있으며 경쟁력이 생겼다.

안타깝게도 지금 시대에는 하나만 하는 걸로는 우리는 넓은 시장에 설 수 없다. 한가지 기술이 있는 사람, 잘하는 사람은 너무나도 많다. 달라지기 위해서는 내가 좋아하는 두 가지 또는 내가 잘하는 두 가지 이상을 함께 해야 사회에 설 수 있는 경쟁력이 생긴다. 자신이 할 수 있는 것 중 두 가지를 함께 실행할 때 스스로에게서 시너지 효과가 나타나 남들과 달라질 수 있지 않을까 생각한다. 그렇게 난 남들이 만들어 놓은 경쟁 사회에서 내 자리가 없는지 찾고 헤매던 중 나의 시너지 효과를 경험하며 느꼈다.

경쟁사회에서 내 자리를 찾는 것이 아닌 그곳에 없는 내 자리를 만들어 가야 한다는 것. 자꾸 휩쓸려 떠내려가는 모래성이 아닌 나만의 견고하고 단단한 성을 만들어야 한다는 것.

그 단단히 쌓아진 나만의 성은 어떠한 파도에도 떠내려가지 않을 것임을 비로소 알게 되었다.

경험보다
중요한 것은 없다

　나는 경험과 그 경험으로 쌓은 노하우가 가장 중요하다고 생각한다. 어떠한 훌륭한 수료증과 자격증이 있다 하더라도 더 중요한 것은 그 기술을 내가 실제로 사용할 수 있느냐가 중요하다. 경험은 나에게 그전에는 알 수 없었던 깨달음과 함께 새로운 가치관과 새로운 노하우를 선물해준다. 그 경험은 누구와도 비교할 수 없는 나만의 비법이 되기도 한다.

　난 이 업계에서도 해외 출강 일정을 빡빡하게 세우기로 유명했다. 경험만큼 나를 성장하게 하는 것은 없다고 생각했기에 기회가 들어오면 닥치는 대로 일정을 잡아서 했다. 해외 출강 일정은 가까운 나라를 몇 개 돌고 한국에 들어오는 스케줄을 항상 짜왔다.

그게 나에게는 많은 일을 하기도 하고, 왔다 갔다 하는 시간도 절약되기에 나의 체력이 허락하는 한 나는 그렇게 한 달 또는 한 달 반 동안 외국에서 출강 생활을 이어왔다. 힘이 들기도 했지만 내가 설 수 있는 해외 시장에서 인정받으려 했고 마음을 담아 진심으로 수업하려고 했다.

한국에는 실력자가 많다. 나보다 뛰어난 사람들도 많으며 정식으로 유명한 학교를 나와 오랫동안 공부를 한 사람도 있다. 이 업계에서 이미 유명한 사람도 많았고 그렇기에 내가 설 자리는 충분하지 않았다.

그러던 중 처음 몇 번의 해외 출강 경험이 나에게 큰 변화를 주었고, 그 경험으로 일과 삶을 배우고 또 나 자신을 성장하게 하는 중요한 전환점이 되었다. 새로운 경험은 두려울지라도, 그 경험은 나의 새로운 면을 알 수 있는 기회이기도 하다.

"모든 실수에서 배우십시오. 왜냐하면 모든 경험, 특히 실수는 당신을 가르치고 당신이 누구인지 더 많이 강요하기 때문입니다."

오프라 윈프리가 말했듯이, 경험을 통한 실수에서 배울 것이 많기 때문에 어떠한 이론보다 실질적인 경험이 나의 삶을 살아가는 데 더 중요한 역할을 할 것이다. 수많은 실수로 얻어낸 값진 경험은 나만의 길로 인도해 줄 것이라 믿는다.

그룹 수업에 대한 아시아권, 서양권의 문화와 인식의 차이

무한한 한국의 경쟁 속에서 버티고 있을 때 해외 출강 일정이 잡히면 바쁘지만, 한편으로는 기대되기도 한다. 한국에 있는 것이 아닌 해외에 있다는 것과 그리고 또한 집중해야 할 일이 당장 내 눈앞에 있다는 것이 나의 이 경쟁해야 할 것 같은 불안감은 사라지고 조금 여유가 생긴다. 나에겐 너무나도 낯선 곳이기에 어떠한 경쟁도 느낄 수 없고 단지 평화로운 환경 속에서 출강 수업을 진행할 수 있다. 또한 그곳에는 모두 새로운 사람들뿐이기에 어쩌면 더 편하고 좋은 걸지도 모르겠다. 반짝반짝한 기대에 찬 눈으로 나를 쳐다보고 말을 걸고 열심히 수업에 집중하는 수강생분들을 보면 너무나도 일할 맛이 난다. 수업을 마치면 엄청난 만족감과 기쁨 그리고 행복이 밀려온다.

해외시장에서는 서양에서의 그룹 수업과 아시아에서의 그룹 수업에 분명 다른 점이 존재한다. 서양에서는 대부분이 서로에게 많은 표현을 한다. 당신은 참 대단하고 멋지다. 수업 중에도 많은 감탄을 하며 서로 칭찬을 아끼지 않는다.

이걸 너에게 배울 수 있어서, 너와 함께여서 나는 너무 행복하고 기쁘다. 이런 칭찬을 아끼지 않으며 서로 존중하는 것이 느껴진다. 대부분의 사람이 수업 중 자유롭게 질문하고, 이야기하는 등 분위기가 다르다.

반면에 아시아로 수업을 가거나 한국에서 수업할 때는 문화 특성상 학생들의 반응이 별로 없다. 물론 개개인의 성격에 따라 반응이 다르긴 하겠지만 아시아에서는 크게 두 가지 반응으로 나뉜다. 대부분 수업 중에는 질문 없이 조용히 지나가는 경우, 수줍음을 타는 듯이 고개만 끄떡이고 넘어갈 때가 많고 아니면 반대로 조금 공격적으로 질문을 하는 경우도 있다.

눈치를 많이 보는 아시아문화의 특성인지는 몰라도 가르치는 입장으로서 반응이 없으니 어려울 때도 있고, 때때로 공격적인 질문을 받으면 존중받는 느낌이 들지 않을 때가 있기도 하다.

얼마 전 미국의 어느 대학교에서 아시아 학생들과 서양 학생들을 두고 본인의 장단점에 대한 것들을 소개해 달라고 한 적이 있다. 그 리서치에서 아시아 학생들은 본인의 장점보다는 단점에 집중해서 말을 이어갔고 반면에 서양 학생들은 본인의 장점에 집중해서 말을 이어갔다. 즉, 아시아 대부분의 사람은 단점을 더 크게 바라보고 서양 사람들은 장점을 더 크게 바라본다는 결과가 나온 것이다.

특히 우리나라에서는 누군가와 경쟁하며 자랐고, 상대평가가 일반적이기에 일등이 중요한 사회에서 상대적으로 모든 것의 눈높이가 서양 사람들보다는 위를 바라보고 있다. 아시아 사람들의 눈높이가 높게 평가되어 있기 때문에 그만큼의 평가를 받지 못하면 그것을 스스로 인정하지 않는다. 이것은 우리의 인식이 다를 뿐, 틀렸다고는 할 수 없다.

반면에 서양 사람들은 상대와 경쟁의 개념이 없고, 자기 자신을 절대 평가하는 기준이기에 우리와는 인식이 다를 수밖에 없다. 그렇기에 그들은 자신의 장점을 높이 평가하고 상대를 인정하며 칭찬할 수 있는 것이 아닐까?

이렇게 볼 때 우리는 조금 더 스스로의 행복을 찾

기 위해서 우리의 눈높이를 조금은 내려놔도 되지 않을까? 내가 먼저 스스로 누군가의 장점을 보고 칭찬하고 인정할 때, 그들도 그렇게 바라봐 줄 것이라고 생각한다. 개인의 장점을 더 많이 바라보는 마음이 건강한 사람이 되기를, 누군가를 존중하고 인정해 줄 수 있는 너그러운 사람이 되기를 바라본다.

기회, 경쟁
그리고 성장

한번은 남아메리카에서 이메일로 초청 연락이 온 적이 있었다. 새로운 나라이기에 흥미로웠고 이메일로 여러 가지 답변을 보내며 정보를 주고받았다. 그렇게 일주일이 넘도록 연락하다가 며칠 정도 해외 출강 일정으로 바빠 답변을 바로 하지 못했고 며칠이 더 지났을까? 그 기회는 바로 사라졌음을 눈치챌 수 있었다.

그 이유는 그 업체가 답변을 기다리다 답이 없자 한국의 나와 비슷한 다른 케이크 디자이너를 찾아서 그분과 수업을 진행하고 있는 것을 SNS를 통해서 알게 되었다. 나는 머뭇거리고 간을 보다가 기회를 놓친 것이다. 그렇게 기회는 날아갔고 그 기회는 다른 분에게 돌아갔다. 그 기회는 내 것이 아니었나 보다. 기회는 예상치 못하게 왔다가 또 예상치 못하게 사라져 버릴 때도 많다. 그래서 기회에 타이밍도 중요하다는 것을 느꼈다.

또한 한국이나 해외시장에서나 기회가 있다면 경쟁도 함께한다. 기회가 열리면 경쟁자가 늘기 마련이다. 한 나라의 A 업체가 한국 케이크 디자이너를 초청하면 같은 나라의 경쟁업체인 B 업체가 또 다른 한국 케이크 디자이너를 초청한다. 각 디자이너의 스타일은 다르지만, 가르치는 타이틀은 비슷하니 경쟁업체를 이길만한 또 다른 상대를 구하는 것이다. 하지만 이렇게 되면 결국 한국에서나 해외에서나 서로 경쟁의 구도가 될 수밖에 없다. 그들이 만들어 놓은 경쟁이라는 덫에 걸리기도 하는 것이다. 한국에서도 경쟁의 구도가 될 수밖에 없는 사회적 구조인데 남의 나라에서도 또 경쟁해야 한다니 정말 이것만큼 지긋지긋 한 게 있을 수 없다. 어디를 가나 또 어느 분야에나 있을 수 있는 경쟁의 구도이지만 이것이 외국까지 나를 따라온다니… 처음에는 믿을 수 없었다.

하지만 꼭 나쁘다고 말할 수는 없는 이유는 경쟁을 피하지 않고 직면하면 이것은 곧 우리를 성장할 수 있게 만들어 주는 동력이 된다. 이것이 우리에게 다음으로 나아가기 위한 성장판이 되기 때문이다. 때로는 이런 경쟁으로 더욱더 성장하게 된다. 더 많은 것을 하고 더 많은 노력을 한다. 그렇기에 조금씩 우리는 성장할 수 있다.

지금은 그냥 받아들이고 나는 그 들과의 경쟁이 아닌 나만의 경쟁하기 위해 노력한다. 기회가 있는 곳은 경쟁이 따르고 경쟁이 있는 곳에는 성장이 있을 테니까.

해외 출강의
기회 찾기

   케이크 디자이너로 시작했을 때 이미 레드오션이 되어가는 이곳에서 내가 살아남는 길은 남들과 다른 선택을 하는 것이었다. 잘하는 사람들은 많았고 나는 그들과 같은 길을 선택하기에 나에게는 너무나도 먼 길이었다.

   그렇게 나는 나의 두 가지의 장점을 살려 해외 출강과 외국인 교육에 더 힘을 썼고 누구보다도 더 외국인들을 많이 만나고 소통하며 수업을 진행하려고 노력했다. 그리고 나의 시장이 한국뿐이 아니라는 것을 나의 SNS에 노출했다. 아주 간단한 외국어로라도 클래스에 대한 인식을 외국인에게도 주어야 한다고 생각했고, 외국어로 태그를 달고 아주 조금이라도 외국어와 함께 포스팅을 시작했다. 그래야 적어도 외국 사람들과의 벽이 생기지는 않을 테니 말이다. 그리고 혹시 모를 기회에 대비해서 외국인 수업과 해외 출강을 위한 포트폴리오를 작성해 놓고 언제든 보낼 준비를 해두었다.

나는 사실 나의 외국인 수강생분들과 함께 해외 출강 수업을 함께 시작해서 그를 바탕으로 출강의 기회를 많이 잡을 수 있었다. 만났던 외국인 수강생분들과 함께 진행을 해보는 것이 가장 빠른 그리고 좋은 방법이다. 이미 한번 본 사람이기에 아예 처음 본 사람보다는 어려움은 없을 것이다. 함께 시작하기에 시간은 좀 걸리고 더디겠지만 오랫동안 할 수 있는 파트너가 생기는 것은 장기적으로 굉장히 좋은 장점이다.

나는 나의 수강생분들과 시작한 몇 개의 나라를 제외한 다른 모든 해외 시장은 소문의 소문을 타고 지인들의 추천으로 이루어진 결과이다. 한번 두번 시작하면 해외 시장은 몰려오게 되어있다. 내가 먼저 연락하지 않아도 자연스럽게 그렇게 되기 마련이다.

하지만 다른 능동적인 기회가 있다는 것도 알게 된 계기가 있다. 한번은 미국의 매거진에 내 인터뷰가 올라간 적이 있었는데 그 당시에는 거기에 인터뷰를 게재한 한국인이 아무도 없었다. 또한 그 매거진의 페이스북에서도 한국 사람들을 찾아볼 수 없던 시기였다.

나의 인터뷰가 매거진에 올라가고 인스타로 나는 홍보를 시작했을 때, 개인적으로는 친분이 없지만 굉장히 유명하게 활동하시는 선생님이 있었다. 얼마 뒤 그분의 케이크가 매일 하루에 한 개씩 그 매거진 그룹의 피드에 올라간 것을 볼 수 있었다. 그분의 아이디가 아닌 다른 분의 아이디로 계속해서 본인의 케이크 사진을 몇 개월 동안 올리셨고 그

당시 나는 그분 또한 그 매거진에 작품을 넣고 싶
구나 생각을 잠시 하고는 잊고 있었다. 일 년쯤 지
났을까? 그분은 결국 미국의 그 매거진에 본인의
케이크를 실을 수 있었다. 그때 다른 방법이 있다
는 것도 알게 되었다. 어렵지 않은 방법이지만 사
람들은 대부분 생각하지 못한다. 기회는 쟁취하는
것이라는 말이 떠올랐다.

　해외 출강을 가게 되면 그곳에서 진행되는 상황
이나 출강 후기 사진을 많이 올리기 때문에 인스타
그램과 페이스북에는 홍보 차원에서 자연스럽게
모든 정보가 노출되기 마련이다. 그 나라의 함께
일하는 파트너가 누군지 아는 것도 태크를 한 번만
클릭하면 그 파트너의 계정을 명확하게 짧은 시간
내에 알 수 있기 때문에 굉장히 쉽다. 모든 게 클릭
하나로 알 수 있는 무서운 세상이 되어버렸지만,
그만큼 기회도 열려있다는 의미이다.

　한번 출강을 나갔을 때 나의 파트너들에게 연락

을 걸어오는 한국 선생님들은 최소 5명에서 외국인들 포함하면 10명이 넘을 때도 있다. 위에 언급한 선생님 또한 그중의 한 분이셨고 그분들은 소위 말해 본인의 기회를 쟁취하는 사람들이었다. 그 전에 나는 수강생분들과 함께 진행하고 기회를 기다리는 수동적인 태도를 가지고 있었지만 그런 계기로 알게 되었다. 내가 생각하지 못했던 부분에 놀라웠고 그분들의 이루고자 하는 의지를 높게 평가한다. 결국 그렇게 몇 분들은 본인들이 이루어 냈다. 해외 출강의 기회도 잡았고 출강을 다니신다.

  앞에서는 그렇지 않은 듯하여도 우리는 모두 사람이기에 하고 싶은 기회가 있으면 잡기를 바라고 누군가가 했으면 나 또한 하기를 바랄 때가 있다. 모두가 뒤에서 노력하는 것이다. 조금 정당한 방법이면 더 좋기야 하겠지만 기회는 기회이니 의지만 있다면 못 잡을 것은 없다. 또한 해외 출강에 외국어는 할 수 있으면 좋겠지만 필수는 아니다. 실력이 된다면 통역사와 함께 진행하면 되니 말이다.

요즘은 어필의 시대이기도 하다. 가만히 있는 것보다는 행동하는 사람이 더 빨리 기회를 쟁취할 수 있다. 앉아서 언제 올지를 기다리고만 있겠는가? 더 빨리 움직이겠는가? 그것은 본인의 선택일 것이다.

해외 출강을 위한
준비와 실행

  SNS로 좋아 보이는 이 직업에도 분명히 지긋지 긋하게 하기 싫은 것들이 있다. 그것은 바로 준비 와 실행. 해외 출강을 한번 가려면 우선 거쳐야 할 많은 것들이 있는데, 각 나라의 정보수집 위치, 문 화, 치안, 종교, 화폐, 비자 그리고 수업을 위한 계 약까지 나라별로 계약서와 조건은 천차만별이다.

  디자이너의 실력, 경력, 인지도, 디자인의 상품성, 대중성에 따라 나르며 초청하는 호스트 역시 수업 이 진행될 나라에서 호스트의 인지도, 경력, 수업 장소 등에 따라서 계약 조건이 달라진다. 또한 이 업계의 트렌드와 각 나라의 경제적 상황을 고려해서 계약해야 하고 외국어로 계약이 진행되는 만큼 나에게 문제가 되거나 불리한 사항이 없도록 꼼꼼히 확인해야 한다.

이렇게 계약서가 작성되면 일정을 맞추어 준비를 시작한다. 일정 또한 그 나라의 여러 일정에 맞추어서 상의한다. 그 나라의 사람들이 어느 시기에 새로운 것을 배우고 투자하는지에 대한 정보도 호스트와 함께 상의하여 일정을 맞추고 진행한다.

그다음은 해외에서 진행되는 워크숍의 클래스를 홍보하고 어떻게 홍보할 것인지, 학생들에게 어떤 서비스를 제공하고 어떤 혜택을 줄 것인지에 대한 고민도 함께한다. 준비물과 비행기 티켓, 호텔 등 초청하는 호스트와 대화하며 계속 진행 상황을 업데이트하는 것도 중요한 부분이다. 또한 홍보가 중요할 수 있는데 홍보를 잘하냐, 못하냐에 따라 해외 출강의 기회가 계속 진행될지 그리고 취소될지를 판단될 수 있다. 간혹 열심히 몇 개월 준비해도 상황에 따라 충분히 취소될 수 있다.

홍보와 마케팅은 함께 진행하는데 이때 케이크 디자이너는 70~80%, 호스트는 20~30% 정도의 부분을 차지한다고 볼 수 있다. 어느 정도 수강생이 모여서 그 수업이 확정되면 그때부터 비행기 티켓을 예매하고 수업에 필요한 준비물 등을 공유하여 체크한다. 여기서 문제는 한국에서 이루어지는 수업은 내가 모든 컨트롤이 가능한 공간에서 내가 항상 쓰던 재료와 도구로 수업을 진행할 수 있어서 편하게 할 수 있지만 해외에서 이루어지는 수업은 모든 것이 나의 컨트롤 밖에서 이루어진다.

해외에서 쓰는 재료가 무엇인지, 비슷한 재료가 있는지, 수업 중 필요한 도구가 있는지 하나하나 꼼꼼히 살펴봐야 한다. 아무리 꼼꼼히 살펴보더라도 직접 사용해 본 것이 아니기에 사진이나 동영상으로 확인했을 때는 문제 없어 보였는데 막상 그곳에 가서는 내가 원하는 재료가 아니거나 수업에 사용할 수 없는 재료일 때도 있기에 나의 컨트롤에 한계가 있다. 이런 부분은 생각보다 큰 문제가 될 수 있기에 잘 확인해야 하지만 항상 해외에서는 예상치 못한 변수들이 생긴다. 수업 중에서도 예상치 못한 온도, 습도의 변화 등 여러 가지 상황의 변수가 생기기에 긴장의 끈을 놓을 수가 없다.

수업 전까지 많은 준비 과정을 마치고, 수업 중에도 문제가 발생하면 즉시 대안을 찾아야 하기에 이러한 예상치 못한 변수들은 너무나도 곤욕스럽지만, 이러한 경험들로부터 나는 많은 노하우를 얻었다. 이제는 제법 여러 상황에도 대응할 수 있음에 뿌듯하고 감사하다. 이렇게 준비 후 해외 출강을 잘 마무리하고 돌아오면 많은 경험도 쌓을 수 있고, 좋은 추억도 생기고, 나 스스로 뿌듯하기에 만족도는 200%이다.

추가로 여행까지 즐길 수 있다는 장점과 세계 시장에서 내가 설 자리가 있고 우물이 아닌 바다에서 경험한다는 것 자체가 엄청난 메리트가 있음을 확실하게 느낀다. 또한 이러한 경험들은 나의 삶의 일부가 될 것이기에, 이 일은 나의 삶을 더 풍성하고 가치 있게 만들어 주기에 나는 이 일이 좋고 이 일을 함에 행복하다. 어렵고 힘든 과정인 만큼 잘 견뎌내면 더 만족스러운 결과로 보답을 해준다.

해외 출강으로 배우는
그들의 라이프스타일

  해외 출강을 하면 여러 가지 많은 환경에 노출되어 그 나라의 문화 체험을 많이 하게 된다. 여행이랑 비슷하게 들리는 해외 출강은 일과 여행 둘 다 할 수 있는 좋은 직장이라고 생각하는 사람들이 많을 것 같다. 물론, 좋기도 하고 그렇지 않기도 하다. 항상 모든 것에는 장단점이 있기 마련이니까.

  일로써 가는 해외 출강은 100% 여행이라고 보기는 어렵다. 비행기를 타는 마음가짐조차 다르다. 일은 일이니 어쩔 수 없다. 일을 우선 끝나고 난 후에야 여행이 시작된다. 하지만 피곤한 몸을 이끌고 여기저기 여행하는 것은 엄청난 체력이 아니면 힘들 것이다.

출강이 끝난 후의 일정은 내 맘대로 가능하기에 며칠, 몇 주 또는 몇 달이 되는 건 내 선택이지만 현실은 일로 돌아가야 하기에 몇 주 이상은 힘들다. 또한 출강 후 벌어들인 수익을 여행비로 다 쓰게 되면 추억은 남겠지만 현실은 수입 없이는 씁쓸하긴 할 테니 적당한 기간만 여행하려고 노력한다.

나는 짧게는 하루 이틀, 길게는 3주까지 여행을 한다. 하지만 길게 3주에서 한 달이 되는 경우는 되도록 그 나라의 다른 시티에 주말로 강의 일정을 다 잡아놓고 평일은 여행하고 주말은 일하는 방식으로 스케줄을 잡는다. 그래야 수익으로 여행경비를 충당하며 일과 여행 모두를 즐길 수 있다.

해외 출강 후 많은 경험을 얻을 수도 있고, 또한 현지인들의 문화와 생활을 체험해 볼 수 있는 특별한 기회도 많다. 초청해 주시는 분들은 대부분이 나와 동종업계의 사람들이기 때문에 그 사람들과의 대화를 통해 그분들의 경험을 듣고 함께 공감할 수 있으며 또 다른 문화의 차이도 느낄 수 있다. 이 업계의 경력이 오래된 분이라면 배울 점도 매우 많다. 일뿐만 아니라 그분들의 삶도 옆에서 함께 체험해 볼 수 있는데 종종 초청해 주시는 분들과 그분들의 집에서 함께 지내는 경우도 있다.

여행 가서도 호텔에서는 잘 수 있지만 이렇게 현지인들과 함께 생활하는 것은 아는 지인이 있는 것이 아니면 쉽지 않은 기회이다. 그리고 대부분 호스트는 수업 이후 여행을 함께 해주며 투어 가이드를 해준다. 멀리서 온 손님을 위해 특별히 좋은 장소로 데려가서 구경을 시켜주고 맛있는 것도 함께 먹는다. 이렇게 수업이 끝난 후에는 또 다른 여행의 행복이 나를 찾아온다.

스페인에서의
여유로움

　한번은 스페인 마드리드 출강을 간 적이 있다. 모니라는 스페인 호스트를 만나서 그녀의 집에서 2주 동안 함께 지낸 적이 있다.

　그녀의 하우스는 산 쪽에 있었는데 4층 정도 되는 하우스였고 집 앞에 있는 마당은 골프장같이 넓게 펼쳐져 있었다. 전용 수영장도 있고 비치 파라솔이 있어서 마치 비치클럽에 온 듯한 느낌이었고 캠핑을 즐길 수 있는 공간도 마련되어 있어 놀랄 만한 크기의 하우스였다. 하우스에 있는 문의 개수가 지하 벙커까지 포함하여 총 30개가 넘는다고 들었다.

모니는 함께 지내면서 식사도 함께하며 직접 스페인 음식 파에야와 하몬 요리를 해주었다. 여행도 함께 다니며 이미 알려진 장소와 또 그렇지 않은 현지인들의 장소도 많이 여행할 수 있었다. 또한 차를 타고 가이드를 해주며 다 설명을 해주기에 이보다 더 좋을 수는 없었다.

우리는 마드리드 왕궁, 광장 그리고 마드리드 중심부의 그란비아 거리로 갔고 저녁에는 조명이 예쁜 분위기 있는 레스토랑에서 맛있는 스페인 음식과 와인에 치즈를 먹고 마시며 시간을 보냈다. 또한 유명한 추로스 집에 들어가기 위해 30분 동안 줄을 서서 기다리다가 겨우 들어갔고, 추위를 날려버릴 따뜻한 핫초코와 추로스를 주문해서 앉았다.

짭짤한 추로스를 한 손에 들고 달콤한 핫초코에 살짝 담가 한입을 찍어 먹었던 그 순간, 추위에 떨었던 몸이 사르르 핫초코와 함께 녹아버렸다. 추로스와 핫초코는 단짠의 정석을 보여준 맛이었다.

그렇게 우리는 함께 여행하며 잊지 못한 추억을 남겼다. 그리고 모니의 추천으로 그녀의 친구인 쿠키 아티스트 베로니카를 만나서 친구가 될 수 있었고, 그분과의 익스체인지 수업도 모니의 집에서 이틀 동안 진행하면서 서로의 기술을 공유했다. 베로니카의 이틀 동안의 수업에 그녀는 나에게 정성을 쏟았고, 나는 그녀에게 많은 새로운 기술을 배웠다.

그녀의 수업 스타일에서도 배울 것이 많았다. 모든 것을 빠짐없이 꼼꼼히 잘 알려주려고 하는 것에서 진정성을 느꼈고 그렇게 그녀는 내가 존경하는 분 중 한 분이 되었다. 그렇게 새로운 친구도 사귈 수 있었다.

기억에 남았던 것은 스페인에서의 하루 식사는 간식시간 포함 4~5번이라는 점이다. 그 식사 시간이 우리와는 달리 점심이 2시에서 4시 사이였고 저녁은 8시부터 10시라 나는 배고픔을 참고 참다가 겨우 식사하게 되었다. 한번 점심을 먹을 때쯤엔 애피타이저-메인-디저트까지 코스로 꼭 챙겨서 먹기에 시간이 거의 2~3시간가량 걸린다. 그렇게 식사가 끝나면 5시, 늦게는 6시라 나에게는 점심 저녁을 함께한 셈이었다. 그러고는 8시~9시쯤 또 저녁 식사를 한다고 하니 나에겐 조금 힘든 시간이었다.

그 나라에 가면 그 나라의 법을 따라야 한다는 말

에 적응하며 자기 전까지 배불리 먹고 잠을 청해야
했다. 점심시간을 여유롭게 갖는 모습이 부럽기도
했다. 식사하는 순간 그리고 얘기하는 모든 순간을
일에서 벗어나서 즐기고 있는 그들 모습에 잠시나
마 그들에게서 일상의 여유로움을 배우기도 했다.

스위스에서
강남 스타일을 추다

또 한번은 스위스 취히리로 출강을 간 적이 있다. 이번에도 호스트와 호스트 가족들과 함께 지냈다. 수업 내내 함께 생활하며 매일 저녁도 함께 먹었고, 한번은 짜파게티를 가져가서 아이들에게 끓여

주기도 했다. 스위스같이 외식 물가가 비싼 나라에서 함께 지내게 될 때는 매번 외식할 수 없기에 호스트가 집에서 요리를 해줄 때가 많다.

그런 경우가 많을 때면 미안한 마음이 들기도 하기에 출강 갈 때 나의 비상식량 겸 한국 라면이나 김 등을 가져가서 선물로 주기도 한다. 한국의 짜파게티와 신라면은 외국 사람들에게도 인기가 많기 때문에 출강을 갈 때 상황에 따라 가져가서 한국 음식을 함께 나누어 먹는다.

수업 일정이 모두 끝난 후 호스트의 가족들과 함께 스위스의 유명한 장소인 취히리, 인터라켄, 루체른, 그린델발트에 갔고 융프라호에서는 관광객이 많은 곳을 피해 우리는 그들만이 아는 현지인이 추천하는 장소로 갔다. 추웠지만 멋지게 반짝이며 얼어있는 거대한 폭포와 나무가 눈으로 뒤덮여 온 세상이 크리스마스 트리로 물들었던 그 엄청난 장관은 자연의 놀라움을 다시 한번 느끼게 해줬고,

그 잊을 수 없는 자연의 위대하고 경이로운 장면은 나의 머릿속에 하나의 그림처럼 남아있다. 신이 주신 자연의 선물, 그곳이 스위스가 아닐까 다시 한 번 생각했었다.

크리스마스 시즌이 다가오고 있어서 친구들과 하는 파티에 나도 함께하게 되었다. 태국인, 콜롬비아인 게이 커플, 영국인, 그리고 칠레, 브라질에서 온 친구들과 한국인인 나까지 모두 파티에 참석해서 함께 음식을 나누며 시간을 보냈다.

아이들을 위해 산타클로스를 초대하는 이벤트도 있었다. 부모들이 예약하는 것인데 예약할 때 그 아이들이 했던 잘한 점, 못한 점을 산타클로스에게 선물과 함께 전달하고 산타 분장을 한 분이 그날에 방문하여 각각 아이들에게 잘한 점은 칭찬하고 못한 점은 아주 호되게 혼내 주었다. 그래서 호스트의 한 아이는 잘못했다며 그 자리에서 엉엉 울기도 했다.

부모들은 뒤에서 그것을 지켜보며 재미있어하기도 하고 그런 아이를 대견하고 뿌듯해하기도 했다. 그렇게 아이들은 한 해 동안 잘한 것과 잘못한 것을 깨우치고 산타클로스에게 선물을 받으며 해피엔딩으로 끝났다.

한 참 파티가 무르익어 갈 때 한참 유행을 시작이던 한국의 무선마이크를 누군가가 꺼내 들었고 그것을 가지고 노래를 부르기 시작했다. 그리고 그들은 나에게 한국에서 왔다며 강남스타일을 추며 누가 더 잘 추는지 내기를 하자고 해서 우리는 내기했지만 190 큰 키의 영국인 대머리 아저씨들이 내

앞에서 강남스타일을 추는데 너무 신기하고 웃겨서 결국 난 내기에서 졌다. 그 당시 스위스에서도 강남 스타일을 모르는 사람들이 없다니 너무나 놀라웠고 한국인으로서의 자부심을 새삼 또 느꼈다.

가장 기억에 남던 것은 스위스에서 수업을 준비할 때 그분들과 함께 독일로 국경을 넘어간 때였다. 이유는 나도 그때 알게 되었지만, 스위스의 물가가 워낙 비싸서 일주일에 한 번씩 30분씩 차를 타고 독일로 넘어가서 마트에서 장을 봐온다는 것이었다. 한 사람당 쇼핑하고 스위스로 돌아갈 수 있는 금액이 정해져 있었고, 나도 인원수에 보탬이 되어 함께 장을 봤다. 가까이 붙어있는 나라들은 그런 선택권이 있어서 부럽기도 했다. 여행도 할 겸 장도 보고, 한주에도 몇 번씩 다른 나라를 갈 수 있다니 너무 신기했다.

유럽에서는 생각보다 그런 나라들이 많다고 한다. 거리를 사이에 두고 두 나라가 마주 보고 있는 경우도 있으니 원하는 제품에 따라 물가가 싼 곳으로 이동해서 쇼핑하기도 하고 식당에 가기도 하니, 상상만 해도 좋을 것 같다. 신기하고도 신선한 충격이었지만 덕분에 난 우리 수업에 필요한 장도 볼 겸 당일치기 독일 여행을 그들과 함께하며 즐거운 시간을 보냈다.

인도네시아의
부자들

처음 출강을 인도네시아에서 시작했기에 나에게
는 조금 익숙한 나라이기도 하다. 출강하러 가기
전 인도네시아와 인도가 같은 나라인 줄 알았는데
사실상 알고 보니 전혀 다른 나라라는 것을 알게
되었다.

아직도 한 번도 가보지 않은 나라라면 인도와 헷
갈리는 분들이 많이 있다. 인도네시아에서도 항상
호스트와 그 가족들과 함께 지내고 이들은 내가 갈
때마다 항상 맛있는 음식을 나에게 대접해 준다.
인도네시아에서는 물가가 우리나라에 비해 워낙
저렴하기 때문에 이런 말도 있다.

"한국 사람이 인도네시아 가면 부자처럼 살 수 있다."

인도네시아에서는 두 가지 계층이 확연히 구분된다. 중국계의 인도네시아 사람 또는 현지 인도네시아 사람. 이렇게 우리나라와는 다르게 계층이 너무나도 선명히 나타나 있다. 그렇기에 정치적, 사회적 이슈도 많다.

대부분의 중국계 인도네시아 사람들은 사업을 하는 사장님이 많고 현지 인도네시아 사람들은 노동자가 많다. 우리가 발리에 여행 가서 마사지를 받으면 만날 수 있는 사람들은 현지 사람들이라고 할 수 있겠다. 중국계들은 우리와 같은 생김새이기에 생김새에서도 차이를 알 수 있다. 이렇게 다른 계층이 한 나라에 선명하게 구분이 되어 있는 것을 한국에서는 상상할 수 없다.

한국에서도 사회적 계층의 차이가 경제적인 부에 따라 나타나겠지만 중산층이 많기 때문에 아주 크게 차이가 난다고 하긴 어렵다. 또한 아직 한국에서는 한국 사람이 모든 일을 다 하기 때문이다. 사장님도, 일하는 사람도 모두 한국인이다. 물론 시대가 바뀌고 있기에 요즘은 한국에서 일하는 외국인 노동자도 많이 볼 수 있다.

인도네시아에서는 이러한 계층 차이가 분명하기에 그들이 일해서 받는 임금 또한 다르게 측정된다. 그렇기에 현지 인도네시아인들은 저렴한 인건비이며 중국계 인도네시아인들은 그들 인건비의 기본 5배 이상 차이가 난다.

인도네시아 파트너와 함께 백화점을 함께 간 적이 있다. 한 레스토랑에 갔는데 신기한 광경을 목격했다. 한 식구가 밥을 먹으러 왔는데 중국계 사람들이었고 그들은 엄마, 아빠, 아이들 2명, 그리고 거기에 내니 2명이 함께 있었다. 그 내니(NANNY), 즉 유모는 아이를 돌봐주는 사람들이었고 한 아이당 한 명의 유모가 함께 있었다. 엄마,

아빠는 여유롭게 식사하고 있었고 유모들은 아이들을 보면서 아이들에게 음식을 먹이고 있었다. 또한 그들은 같은 유니폼을 입고 있었다. 나에게는 황당하고 충격적인 장면이었다. 한국에서는 상상도 할 수 없는 일이었다. 엄청난 재벌 집이라면 가능하겠지만 일반적으로 한국의 대부분 중산층에서는 볼 수 없는 장면이다. 인도네시아에서는 이런 경우를 많이 볼 수 있었다.

중국계 부자들은 아주 큰 하우스에서 사는데 그 하우스에 청소부, 경비원, 운전사, 내니, 가정부가 모두 함께 지내기도 한다고 한다. 대부분 같이 사는 직원들 또한 가족일 때도 많다고 한다.

실제로 인도네시아 친구의 동생이 결혼한 시댁 식구가 엄청난 재벌이기에 초대를 받아 하우스에 간 적이 있다. 그 하우스 안에는 우리나라 웨딩홀에 있을 법한, 미드의 재벌가 파티에서 여주인공이 예쁜 드레스를 입고 화려한 샹들리에를 따라 내려오는 S

자 계단이 있었고, 파리 루브르 박물관에 있을법한 중세 시대의 기둥이 하우스 안에 있었다. 1층이나 집의 한 부분을 직원들이 거주할 수 있도록 하고, 나머지 위층에서는 중국계 가족들이 산다고 한다. 같은 집에 두세 가족이 사는 것이다. 운전사 또한 1인 1 운전사가 있다. 드라마에서만 보던 것처럼 말이다. 그것을 보면서 한편으로는 이렇게 생각했다.

"1인 1 운전사와 유모도 있어서 너무 좋겠다. 아이가 있는 엄마여도 어떠한 제약 없이 뭐든 다 할 수 있겠네."

상대적으로 우리나라는 엄마가 되는 것에 제약이 많지만, 이들은 그런 제약이 많이 없어 보였다. 유모가 있음으로써 삶이 편해 보였고 하고 싶은 것도 다 하고 사는 자유로운 엄마들이었다. 물론 그 뒤에 다른 문제도 있다고는 했다. 아이가 엄마 말을 안 듣고 유모의 말을 더 듣는다던지, 아이의 교육상, 그리고 정서상 좋지 않은 문제 말이다.

하지만 기본적으로 현지인들이 인건비가 낮은 만큼 사회적 위치도 낮고 하대하는 분위기가 전반적으로 깔려있어 안타까운 상황이었다. 모든 인간은 인권이 있다. 국가, 민족, 인종 등에 상관없이 인간이라면 존중받아야 마땅할 우리의 인권이 돈이라는 수단으로 이 기본적인 권리마저 빼앗기고 있는 상황이 이 나라에서는 너무 선명히 눈에 보인다.

인도네시아뿐만 아니라 다른 나라에서도 이런 비슷한 상황은 벌어지고 있다. 한편으로는 한국의 사회가 아직은 상대적으로 공평하지 않을까 생각은 해보지만, 점점 우리 또 이렇게 변화되어 가는 것은 부정할 수 없는 현실이다.

자본주의 사회에서 인권이란 돈과 아주 긴밀히 연결되어 있어서 돈이 없으면 인권도 함께 무너지고 있다. 우리는 어떻게 우리의 인권을 지켜낼 수 있을까? 때로는 다른 나라의 문화를 보며 객관적으로 우리를 바라보게 된다.

에콰도르 키토_
세상의 중심에서

  하루가 걸려 도착한 그곳은 에콰도르 키토, 적도
의 나라였다. 너무나도 생소한 에콰도르 키토에 초
청받아 수업을 진행하게 되었는데 이곳에 처음 도
착한 첫날부터 숨이 가쁘게 뛰기 시작했다. 숨쉬기
도 어렵고 몸의 변화를 바로 느끼기 시작했고 피곤

이 몰려왔다. 비행기를 오래 타서 그런가 하고 생각했지만, 그 이유가 아니었다.

호스트를 통해 알게 된 사실은 에콰도르는 해발 3,000mm에 자리 잡고 있는 고산지대라 외국 사람들이 방문하게 되면 산소부족으로 고산병에 걸릴 수 있고 또 적응하는 데 조금 시간이 걸릴 거라고 했다. 그런 경험은 처음이었기에 당황스러울 수밖에 없었다.

한번은 호스트를 따라 여행하다 계단 위를 오른 적이 있는데 10계단도 안 올라가서는 마치 50계단 이상을 오른 것 같은 숨 가쁨을 느꼈다. 한 체력 한다고 생각했던 20살 중반에 체력의 좌절감을 느끼던 찰나였다.

며칠 간의 수업을 잘 마치고 여행을 시작했고, 위도 0도의 지점인 키토의 적도 태양 박물관 INTINAN MUSEO으로 향했다. 에콰도르에서는 꼭 가야 한다는 그곳, 세상의 중심으로 가는 것이었다. 세상의 중심에서라는 말이 내 마음을 설레게 했다. 말만으로도 그곳에서는 마치 내가 세상의 주인공이 될 것 같은 느낌이었다.

그렇게 설레는 마음으로 그곳에 도착했고 그곳에서는 여러 가지 미션을 해볼 수 있었다. 가장 신기했던 것은 못 위에 달걀을 세우는 미션이었는데, 중력이 수직으로 작용해서 노른자가 정중앙에 자리하게 되면 비교적 쉽게 못 위에 달걀을 세울 수 있다고 한다. 호스트와 나는 여러 번 시도 끝에 달걀을 세울 수 있었다.

생각보다는 어려운 미션이었지만 세워진 달걀의 모습이 너무나 신기했고, 성공 후 모두가 함께 기뻐했다. 또한 적도에서는 중력이 약하기 때문에 아무리 힘이 센 사람이라 하더라도 힘이 약해지는 현상을 체험할 수 있다고 해서 우리도 체험해 보았다. 여자든 남자든 힘이 거의 비슷하게 느껴지니 잠시나마 힘이 더 생긴 것 같은 느낌이었다. 그렇게 그날 세상의 중심에서 우리는 즐거운 시간을 보냈고, 그 하루 동안은 세상의 중심에서 내가 주인공이 되었다.

해외 출강을 하며 일도 하고 배우는 것도 많지만 또 너무나 매력적인 것은 여행도 하고 또 일반 여행객으로는 모를 수 있는 현지 문화와 생활을 직접

체험해 본다는 점이다. 어떤 음식을 먹고 어떤 생활을 하는지 눈으로 보고, 듣고, 느끼고 또 경험해 볼 수 있다. 해외에서 출강하며 수익도 창출하고 나의 비용을 들이지 않아도 이렇게 모든 것들을 경험해 볼 수 있다니 이렇게 좋은 직업이 있을까?

물론 몸이 힘들고 지칠 때도 있다. 하지만 그것보다 더 많은 경험을 하고 나의 한계를 시험하며 성장할 수 있다. 몇 년 동안, 이 경험과 배움을 통해 나는 많은 것들이 바뀌었다. 나는 이렇게 일을 통해 케이크 디자이너로서뿐만 아니라 한 사람으로서도 성장하고 있다.

모두가 함께
빛나기를

결국은 멋지고 달콤하게 빛날 거야

난 남들이 만들어 놓은 경쟁 사회에서 내 자리가 없는지 찾고 헤매던 중 경쟁사회에서 내 자리를 찾는 것이 아닌 그곳에 없는 내 자리를 만들어 가야 한다는 것을 경험으로 알게 되었다. 자꾸 휩쓸려 떠내려가는 모래성이 아닌 나만의 견고하고 단단한 성을 만들어야 한다는 것, 그 단단히 쌓아진 나만의 성은 어떠한 파도에도 떠내려가지 않을 것임을 비로소 알게 되었다.

하지만 나만의 성을 만들다가 여러 번 무너질 때 누군가로 인해 큰 힘을 얻고 다시 일어날 수 있었다. 사랑하는 남편, 가족들 그리고 나와 함께 하는 소중한 파트너와 친구들.

그들이 있었기에 내가 지금 단단한 성을 만들어 가고 있다는 것은 분명하다. 감사한 그들이 항상 내곁에 있었기에 지금의 내가 존재할 것이다.

나는 지금도 인생의 경험을 더 쌓고 내 자신의 한계를 시험하고 그 한계를 넘기 위해서 이 일을 계

속하고 있다. 이 일은 내가 어떤 사람인지 알게 해
주고 나 스스로를 인정하는 법을 알려주었다.

나의 스토리와 경험을 사람들과도 나누고 공유할
때 그 스토리가 곧 당신의 경험이 되어 당신에게
위로가 되고 응원이 될 수 있기를 바란다.

나는 항상 말하고 싶었다. 당신의 인생은 결국 멋
지고 달콤하게 반짝 빛날 거라고.

USA. MIAMI.CAKE EXPO 미국 마이애미 케이크 엑스포

USA. LA 미국 엘에이

Mexico, Los Cabos 멕시코, 산호세 델 카보

Mexico, Mexico city 멕시코시티

결국은 멋지고 달콤하게 빛날 거야

INDONESIA. JAKARTA 인도네시아. 자카르타

SINGAPORE. 싱가포르

ECUADOR. QUITO 에콰도르. 키토

LA 미국 엘에이

결국은 멋지고 달콤하게 빛날 거야

Portugal Lisbon 포르투갈,리스본

Scotland 스코틀랜드

에필로그

UK, London 영국 런던

결국은 멋지고 달콤하게 빛날 거야

발행일| 2024.01.08
지은이| 루시아(임지희)
이메일| luciacake@naver.com
　　　　luciacake215@gmail.com
인스타| @luciacake215

발행처| 레코드나우
편　집| 에디터V
디자인| 에디터V(https://blog.naver.com/lye98711)
ISBN| 979-11-88588-52-7(03810)
책값 18,000원